편입수학기출 서강·성균관·한양대학교

발 행 | 2024년 8월 2일
저 자 | 스킬편입수학 연구소
펴낸이 | 한건희
펴낸곳 | 주식회사 부크크
출판사등록 | 2014.07.15.(제2014-16호)
주 소 | 서울특별시 금천구 가산디지털1로 119 SK트윈타워 A동 305호
전 화 | 1670-8316
이메일 | info@bookk.co.kr

ISBN | 979-11-410-9927-5

www.bookk.co.kr

편입수학 기출 서강·성균관·한양 대학교

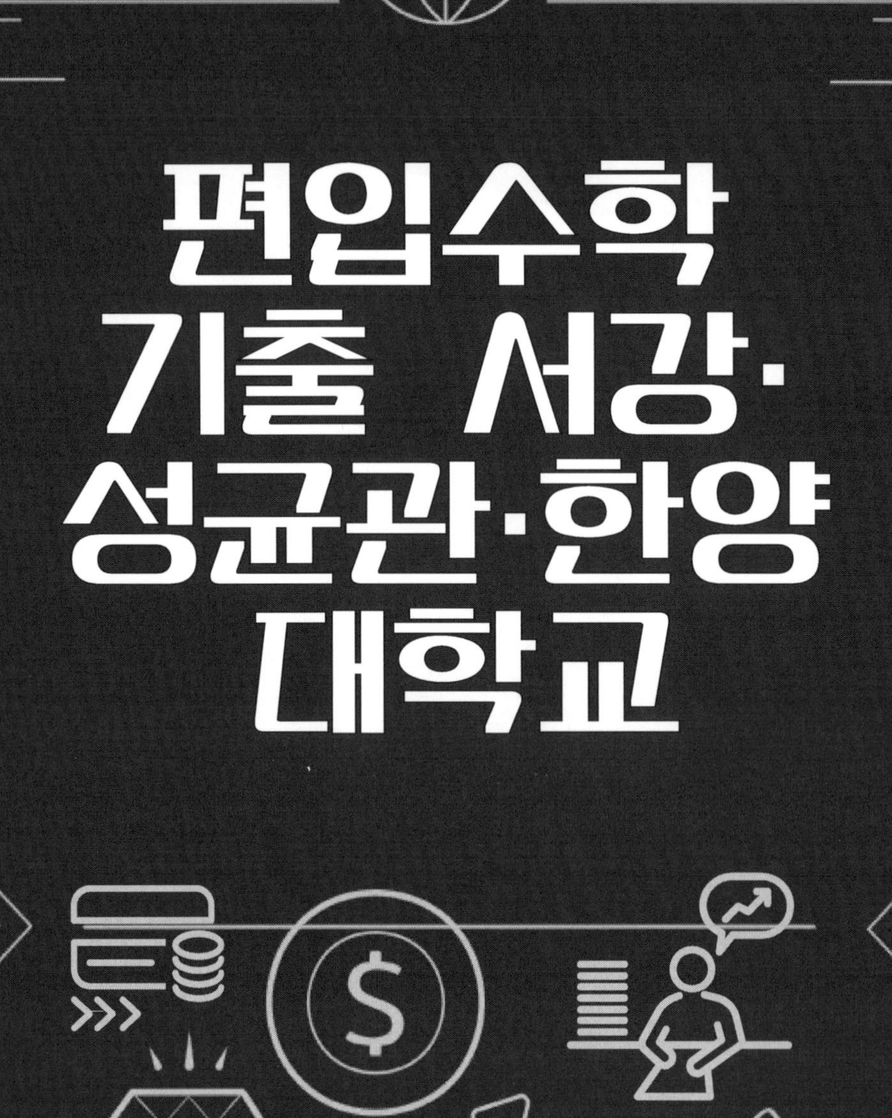

스킬편입수학 연구소

skill_math

편입수학 기출 서강대학교 5개년

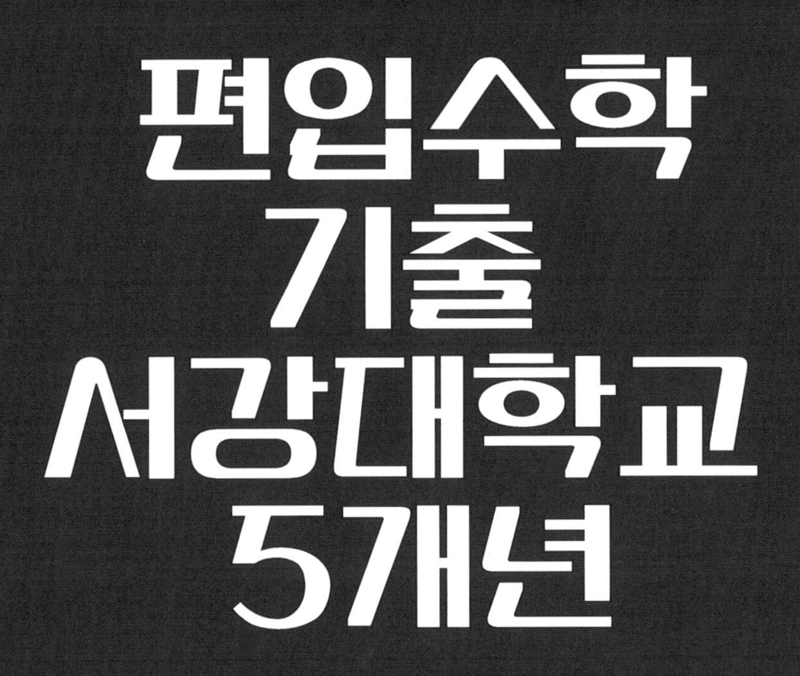

스킬편입수학 연구소

skill_math

1. 극한 $\lim_{a\to 0}\frac{\sqrt[4]{81+a}-3}{a}$의 값은?

① $\frac{1}{81}$
② $\frac{1}{92}$
③ $\frac{1}{108}$
④ $\frac{1}{120}$
⑤ $\frac{1}{135}$

2. 다음 <보기>에서 옳은 것만을 있는 대로 고른 것은?

ㄱ. $x=0$에서 미분가능한 함수 $f(x)$와 미분가능하지 않은 함수 $g(x)$를 더한 함수 $f(x)+g(x)$는 $x=0$에서 미분가능하지 않으나, 곱한 함수 $f(x)\cdot g(x)$는 $x=0$에서 미분가능할 수도 있다.

ㄴ. 모든 실수 x에 대하여 $|h(x)-x^2|\le\sqrt[3]{x^2}$을 만족하는 함수 $h(x)$는 $x=0$에서 미분가능하다.

ㄷ. $|x-2|<\delta$이면 $|x^3-2x-4|<\frac{1}{10}$을 만족하는 양의 실수 δ가 존재한다.

① ㄱ
② ㄱ,ㄷ
③ ㄱ,ㄴ
④ ㄴ,ㄷ
⑤ ㄱ,ㄴ,ㄷ

3. 함수 $f(x)=2+\int_{2-x}^{x^2}\frac{1}{1+t+t^5}dt$에 대하여 $x=1$에서의 선형근사식을 이용하여 구한 $f(0.99)$의 근삿값은?

① 1.97
② 1.976
③ 1.98
④ 1.99
⑤ 1.996

4. 함수 $f(x)=2x^3-3x^2+2x+1$과 그 역함수 $g(x)$에 대하여 다음 <보기>에서 옳은 것만을 있는 대로 고른것은?

ㄱ. 모든 실수 x에 대하여 $f'(x)\ge\frac{1}{2}$이다.

ㄴ. 모든 실수 x에 대하여 $0<g'(x)\le 2$이다.

ㄷ. $x<y$인 모든 실수 x,y에 대하여 $0<g(y)-g(x)\le 2(y-x)$이다.

① ㄱ
② ㄱ,ㄴ
③ ㄱ,ㄷ
④ ㄴ,ㄷ
⑤ ㄱ,ㄴ,ㄷ

5. 두 곡선 $y=\sin\left(\frac{\pi x}{4}\right)$, $y=x^2-4x$로 둘러싸인 영역의 넓이는?

① $\frac{10}{\pi}+\frac{64}{3}$

② $\frac{12}{\pi}+\frac{64}{3}$

③ $\frac{10}{\pi}+\frac{32}{3}$

④ $\frac{8}{\pi}+\frac{32}{3}$

⑤ $\frac{8}{\pi}+\frac{64}{3}$

6. 다음 <보기>의 급수 중에서 수렴하는 것만을 있는 대로 고른 것은?

ㄱ. $\sum_{n=1}^{\infty}\frac{n!}{2^n}$

ㄴ. $\sum_{n=1}^{\infty}\frac{1}{n+1}\cos\left(\frac{\pi}{n}\right)$

ㄷ. $\sum_{n=2}^{\infty}\frac{\ln n}{(n+1)(n+2)}$

① ㄱ

② ㄴ

③ ㄷ

④ ㄴ,ㄷ

⑤ ㄱ,ㄴ,ㄷ

7. 다음 <보기>의 이상적분 중에서 수렴하는 것만을 있는 대로 고른 것은?

ㄱ. $\int_0^{\infty} x^2e^{-\sqrt{x}}dx$

ㄴ. $\int_0^1 \frac{\sin(\pi x)}{1-x}dx$

ㄷ. $\int_0^1 \frac{1}{x\ln x}dx$

① ㄱ

② ㄴ

③ ㄱ,ㄴ

④ ㄴ,ㄷ

⑤ ㄱ,ㄴ,ㄷ

8. $\int_{-\infty}^{\infty} e^{-x^2}dx=\sqrt{\pi}$를 이용하여 $\int_0^{\infty} x^2e^{-x^2}dx$의 값을 구하면?

① $\frac{\sqrt{\pi}}{4}$

② $\frac{\sqrt{\pi}}{2}$

③ $\frac{\sqrt{\pi}}{2\sqrt{2}}$

④ $\frac{\sqrt{\pi}}{\sqrt{2}}$

⑤ $\sqrt{\pi}$

9. 실수 전체의 집합 R에서 두 번 미분가능한 함수 $f(y)$에 대하여 이변수 함수

$u(x,t)=\dfrac{1}{\sqrt{t}}f\left(\dfrac{x}{\sqrt{t}}\right)$가 영역

$D=\{(x,t)\in R^2 \mid t>0\}$에서 $\dfrac{\partial u}{\partial t}=\dfrac{\partial^2 u}{\partial x^2}$를 만족할 때, 함수 $f(y)$가 만족하는 식은?

① $f''(y)+yf'(y)+f(y)=0$
② $f''(y)+2yf'(y)+f(y)=0$
③ $2f''(y)+2yf'(y)-f(y)=0$
④ $2f''(y)+yf'(y)-f(y)=0$
⑤ $2f''(y)+yf'(y)+f(y)=0$

10. 영역 $D=\{(x,y)\in R^2 \mid 1\le x^2+4y^2\le 4\}$에 대하여 이중적분 $\iint_D \sqrt{x^2+4y^2}\,dxdy$의 값은?

① $\dfrac{7\pi}{6}$
② $\dfrac{7\pi}{3}$
③ $\dfrac{28\pi}{3}$
④ $\dfrac{3\pi}{4}$
⑤ $\dfrac{3\pi}{2}$

11. xz평면 내의 곡선 $z=x^2+1, x\ge 0$을 z축 둘레로 회전시켰을 때 생기는 곡면의 점 $(1,1,3)$에서의 접평면을 $z=ax+by+c$라 할 때 $3a+4b+c$의 값은?

① 11
② 13
③ 15
④ 16
⑤ 17

12. 원기둥 $x^2+y^2=1$과 두 평면 $z=10, z=x$로 둘러싸인 3차원 영역의 경계면 S가 바깥으로 향하는 방향을 가지고 있다고 하자. 벡터장 $F=yi+(z+\cos x)j+(e^{x^2}+z)k$ 에 대하여 적분 $\iint_S F\cdot dS$의 값은?

① 4π
② 6π
③ 8π
④ 10π
⑤ 12π

13. 다음 연립미분방정식에 대한 초깃값 문제의 해는?

$$\begin{bmatrix} y'_1 \\ y'_2 \end{bmatrix} = \begin{bmatrix} 0 & 1 \\ 2 & -1 \end{bmatrix} \begin{bmatrix} y_1 \\ y_2 \end{bmatrix}, \begin{bmatrix} y_1(0) \\ y_2(0) \end{bmatrix} = \begin{bmatrix} 1 \\ 2 \end{bmatrix}$$

① $\frac{1}{2}e^{t}\begin{bmatrix} 1 \\ 1 \end{bmatrix} + \frac{1}{2}e^{-2t}\begin{bmatrix} 1 \\ 3 \end{bmatrix}$

② $\frac{4}{3}e^{-2t}\begin{bmatrix} 1 \\ 1 \end{bmatrix} + \frac{1}{3}e^{t}\begin{bmatrix} -1 \\ 2 \end{bmatrix}$

③ $\frac{4}{3}e^{t}\begin{bmatrix} 1 \\ 1 \end{bmatrix} + \frac{1}{3}e^{-2t}\begin{bmatrix} -1 \\ 2 \end{bmatrix}$

④ $\frac{1}{2}e^{t}\begin{bmatrix} 1 \\ 3 \end{bmatrix} + \frac{1}{2}e^{-2t}\begin{bmatrix} 1 \\ 1 \end{bmatrix}$

⑤ $\frac{4}{3}e^{-t}\begin{bmatrix} 1 \\ 1 \end{bmatrix} + \frac{1}{3}e^{t}\begin{bmatrix} -1 \\ 2 \end{bmatrix}$

14. 완전 미분방정식이 아닌 일계 미분방정식 $(4x^3\cot y)dx = (\csc^2 y)dy$를 완전 미분방정식으로 변환하는 적분인자가 될 수 있는 것은? (단, 아래에서 $\exp(t) = e^t$이다.)

① $\exp(4x^2)$

② $\exp(-2x^2)$

③ $\exp(4x^3)$

④ $\exp(x^4)$

⑤ $\exp(-x^4)$

15. 행렬 $A = \begin{bmatrix} 0 & 1 & 0 \\ 4 & 0 & 0 \\ 0 & 1 & 1 \end{bmatrix}$는 어떤 대각행렬 D와 가역행렬 S에 대하여 $A = S^{-1}DS$를 만족한다. D의 대각합과 행렬식의 합은?

① -3

② 4

③ -4

④ 2

⑤ -1

16. 행렬 $A = \begin{bmatrix} 1 & 8 & 4 & 1 & 2 \\ 1 & 4 & 2 & 1 & 0 \\ 0 & 2 & 1 & 0 & 1 \end{bmatrix}$에 대하여 A의 계급수를 r, A의 영공간의 차원을 n, A의 열공간의 차원을 c라고 할 때, $r+2n+3c$의 값은 ?

① 12

② 14

③ 15

④ 16

⑤ 18

17. $\lim_{x\to 0}\frac{1}{x^3}\int_0^{\sin x}\tan(t^2)\,dt=\frac{n}{m}$ 이라고 할 때, $m+n$의 값은?
(단, m,n은 서로서인 자연수이다.)

18. 세 실수 α,β,γ에 대하여 공간 R^3에서 정의된 벡터장
$F(x,y,z)$
$=(2xz^3+\alpha y)i+(3x+\beta yz)j+(\gamma x^2z^2+y^2)k$
가 보존적 벡터장이 될 때, $\alpha+\beta+\gamma$의 값은?

19. 경곗값 문제
$y''-4y'+5y=e^{2x},\ y(0)=5,\ y'(\pi)=-10e^{2\pi}$의 해 $y(x)$ 에 대하여 $y'(0)$의 값은?

20. 행렬 $A=\begin{bmatrix}1&6&3&1\\1&4&2&1\\0&2&1&0\end{bmatrix}$의 영공간을 V라 하자.
벡터 $x=(2,0,5,0)$의 V위로의 정사영을 $p=(p_1,p_2,p_3,p_4)$라고 할 때,
$p_1+p_2+p_3+p_4$의 값은?

1. 함수 $f(x)=5x+11+\frac{20}{x}$가 $x=a$에서 극댓값을 갖고 $x=b$에서 극솟값을 가질 때 $f(a)-f(b)$ 의 값은?

① 25
② 30
③ 35
④ 40
⑤ -40

2. 좌표평면에서 곡선 $y^2=x^2-x^4$ 으로 둘러싸인 영역의 면적은?

① $\frac{3}{4}$
② $\frac{4}{3}$
③ $\frac{3}{2}$
④ $\frac{2}{3}$
⑤ 1

3. 멱급수 $x-\frac{x^2}{2}+\frac{x^3}{3}-\cdots+(-1)^{n-1}\frac{x^n}{n}+\cdots$ 의 수렴구간은?

① $0 \le x < 1$
② $-1 < x \le 1$
③ $-1 \le x \le 1$
④ $-1 \le x < 1$
⑤ $-1 < x \le 0$

4. 3차원 공간 위의 두 원기둥 $x^2+y^2 \le 1, x^2+z^2 \le 1$이 만나는 부분 중 $z \ge 0$인 부분의 부피는?

① 2
② $\frac{7}{3}$
③ $\frac{9}{4}$
④ $\frac{8}{3}$
⑤ 3

5. 함수 $f(x)$가 $[0,\pi]$에서 연속이고 모든 $x \in [0,\pi]$에 대하여 $f(x)+f(\pi-x)=\sin x$를 만족할 때 $\int_0^{\pi} f(x)dx$의 값은?

① 1
② $\frac{4}{3}$
③ $\frac{3}{2}$
④ 2
⑤ $\frac{\pi}{2}$

6. $\lim_{x\to\infty}\left[\frac{x}{2}-x^2+x^3\ln\left(\frac{1+x}{x}\right)\right]$의 값은?

① 1
② $\frac{2}{3}$
③ $\frac{1}{2}$
④ $\frac{1}{3}$
⑤ $\frac{1}{4}$

7. 평면 위의 곡선이 다음과 같이 매개변수로 표현되었을 때 이 곡선의 길이는?

$x(t)=\int_t^{\infty}\frac{\cos x}{x}dx,\ y(t)=\int_t^{\infty}\frac{\sin x}{x}dx\ (1\le t\le 2)$

① $\sqrt{2}$
② $\sqrt{3}$
③ $\ln 2$
④ $\ln 3$
⑤ $\sqrt{5}$

8. 오른 직교좌표계 x,y,z를 갖는 벡터 $v=(yz,3zx,z)$에 대하여 점 $P(1,1,1)$에서 v의 회전$(curl)$은?

① $(3,-1,2)$
② $(3,1,-2)$
③ $(-3,-1,2)$
④ $(3,-1,-2)$
⑤ $(-3,1,2)$

9. 행렬 $A=\begin{bmatrix}1&-1&1\\0&2&0\\0&0&3\end{bmatrix}$에 대하여 A^5의 고윳값의 합은?

① 156
② 198
③ 235
④ 269
⑤ 276

10. 미분방정식 $y''+4y'+4y=-4x+4$의 해 $y(x)$가 $y(0)=4, y'(0)=-6$을 만족할 때 $y(2)$의 값은?

① $3e^{-4}$
② $-e^{-4}$
③ $3e^{-4}+1$
④ 0
⑤ 2

11. 선형변환 $T: R^4 \to R^3$가 $T(x,y,z,w)=(x+y, z+w, 0)$로 정의되었을 때 T의 핵에 속하며 $x^2+y^2+z^2+w^2=1$에 해당하는 부분을 각각 $xy-$평면과 $yz-$평면으로 사영시킨 집합은?

① $y=-x(-1/\sqrt{2} \le x \le 1/\sqrt{2}), y^2+z^2=1/2$
② $y=-x(-1 \le x \le 1), y^2+z^2=1$
③ $y=x(-1 \le x \le 1), y^2+z^2=1$
④ $y=x(-1/\sqrt{2} \le x \le 1/\sqrt{2}), y^2+z^2=1/2$
⑤ $y=-x(-1/\sqrt{2} \le x \le 1/\sqrt{2}), y^2+z^2=1$

12. 좌표평면의 원점에서 곡선 $5x^2+6xy+5y^2-8=0$까지 거리의 최댓값에서 최솟값을 뺀 것은?

① 1
② 2
③ 3
④ 4
⑤ 5

13. 평면 위의 선형변환 T가 $T(1,0)=(2,3)$, $T(0,1)=(1,-2)$을 만족한다. T에 의해서 평면 위의 세 점 $A(-1,0)$, $B(1,-1)$, $C(2,3)$이 옮겨지는 점을 각각 P, Q, R이라 할 때, $\triangle PQR$의 면적은?

① $\frac{67}{3}$

② $\frac{63}{2}$

③ $\frac{91}{3}$

④ $\frac{98}{3}$

⑤ $\frac{67}{2}$

14. $t \geq 0$에서 정의된 함수 $f(t)$의 라플라스 변환 $F(s)$가 다음과 같이 주어질 때,

$$F(s)=\frac{\pi(1-e^{-4s})}{s^2+\left(\frac{\pi}{2}\right)^2}+\frac{e^{-5s}}{s}\left(3-3e^{-s}+\frac{e^{-s}}{s}\right)$$

$f(1)+f(3)+f(4.5)+f(5.5)+f(7)$의 값은?

① 1

② $\frac{5}{2}$

③ 4

④ $\frac{9}{2}$

⑤ 6

15. 좌표평면에서 시작점 $\Upsilon(0)=(1,1)$과 끝점 $\Upsilon(1)=(2,2)$를 잇는 1사분면 위의 단순 곡선 Υ에 대하여 $\int_{\Upsilon(0)}^{\Upsilon(1)}\left(\frac{1+y^2}{x^3}dx-\frac{1+x^2}{x^2}ydy\right)$의 값은?

① 1

② $-\frac{3}{4}$

③ $\frac{3}{4}$

④ $\frac{9}{8}$

⑤ $-\frac{9}{8}$

16. 다음 급수 ㄱ~ㄷ 중에서 수렴하는 것만을 고른 것은?

ㄱ. $\sum_{n=1}^{\infty}\frac{n^n}{n!3^n}$

ㄴ. $\sum_{n=1}^{\infty}\sin\frac{1}{n}$

ㄷ. $\sum_{n=2}^{\infty}\frac{1}{nlnn}$

① ㄱ

② ㄴ

③ ㄷ

④ ㄱ,ㄴ

⑤ ㄴ,ㄷ

17. 타원체 $x^2+4y^2+z^2=18$ 위의 점 $P(1,2,1)$에서 타원체의 접평면과 $xy-$평면이 만드는 예각을 θ라 할 때, $\sec^2\theta$의 값은?

18. 행렬식의 제곱에 대한 자연로그로 정의된 함수 $f(x)=\ln\left(\det\begin{bmatrix} 0 & x & x^2 & x^3 \\ x & 0 & x^3 & x^2 \\ x^2 & x^3 & 0 & x \\ x^3 & x^2 & x & 0 \end{bmatrix}\right)^2$ 에 대해 $f'(1)$의 값은?

19. 함수 $f(x)$가 $x<\dfrac{1}{2}$일 때 $f''(x)[f(x)]^3=-1$을 만족하고 $f(0)=1, f'(0)=-1$이면 $f(-60)$의 값은?

20. $\displaystyle\int_0^1\int_0^{1-x}(y-2x)^2\sqrt{x+y}\,dydx=\frac{n}{m}$ 이고 m과 n이 서로서인 자연수일 때 $m+n$은?

1. 함수 $f(x)=x-\sin x$의 역함수를 $g(x)$라고 할 때, 극한 $\lim_{x\to0}\frac{\{g(x)\}^3}{3x}$의 값은?

① 0 ② 1 ③ 2 ④ 6 ⑤ ∞

2. $f(x)=\int_0^x \cos^{-1}t\,dt, g(x)=\int_0^x \sin^{-1}t\,dt$ $(-1\le x\le 1)$일 때, $f\left(\frac{1}{3}\right)+g\left(-\frac{1}{3}\right)$의 값은? (단, 모든 $t\in[-1,1]$에 대하여 $-\frac{\pi}{2}\le \sin^{-1}t\le\frac{\pi}{2}, 0\le cos^{-1}t\le\pi$)

① $-\frac{\pi}{3}$ ② $-\frac{\pi}{6}$ ③ 0 ④ $\frac{\pi}{6}$ ⑤ $\frac{\pi}{3}$

3. 급수 $\sum_{n=1}^{\infty}\sqrt{4n+n^2}\tan\left(\frac{1}{n^p}\right)$이 수렴하는 양의 실수 p의 범위는?

① $p>\frac{1}{2}$
② $p>1$
③ $p>\frac{3}{2}$
④ $p>2$
⑤ $p>\frac{5}{2}$

4. $x=2\rho\sin\phi\cos\theta, y=2\rho\sin\phi\sin\theta, z=\rho\cos\phi$ 일 때, 다음 행렬식을 계산하면?

$$\begin{vmatrix} \frac{\partial x}{\partial\rho} & \frac{\partial x}{\partial\theta} & \frac{\partial x}{\partial\phi} \\ \frac{\partial y}{\partial\rho} & \frac{\partial y}{\partial\theta} & \frac{\partial y}{\partial\phi} \\ \frac{\partial z}{\partial\rho} & \frac{\partial z}{\partial\theta} & \frac{\partial z}{\partial\phi} \end{vmatrix}$$

① $-2\rho^2\sin\phi$
② $-4\rho^2\sin\phi$
③ $4\rho^2\sin\phi$
④ $2\rho^2\sin\theta$
⑤ $4\rho^2\sin\theta$

5. 음이 아닌 세 실수 p, q, r가 $p+2q+3r=1$을 만족할 때, $A=p^{1/6}q^{1/3}r^{1/2}$의 최댓값은?

① $\frac{1}{6}$ ② $\frac{1}{3}$ ③ $\frac{1}{2}$ ④ 1 ⑤ 2

6. 곡선 C가 매개변수방정식
$x=4\cos t, y=3t, z=4\sin t\,(0 \le t \le 2\pi)$로 정의될 때, C위에서 벡터장
$F(x,y,z)=(x-y)i+(y-z)j+(z-x)k$의
선적분의 값은?

① $16\pi^2+30\pi$
② $16\pi^2-30\pi$
③ $30\pi^2+16\pi$
④ $18\pi^2+40\pi$
⑤ $18\pi^2-40\pi$

7. 그림과 같이 C가 $P(1,0)$에서 $Q(2,0)$까지의 선분, Q에서 $R(0,2)$까지 중심이 원점이고 반지름이 2인 원의 호, R에서 $S(0,1)$까지의 선분 그리고 S에서 P까지의 중심이 원점이고 반지름이 1인 원의 호로 이루어진 곡선일 때, 선적분 $\int_C (2x^2y^2+y^4)dx+(ye^{-2y})dy$의 값은?

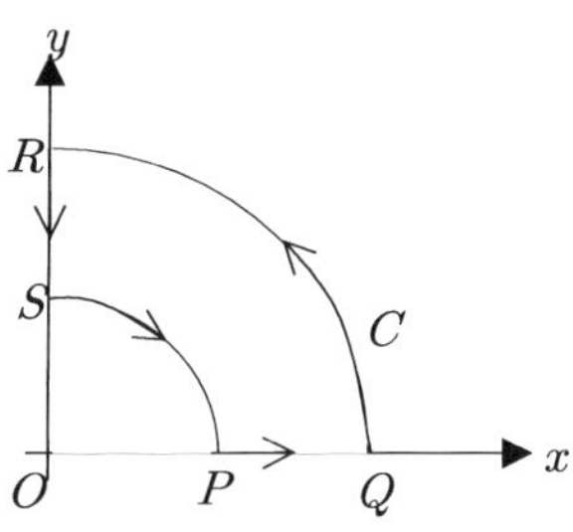

① $-\frac{124}{5}$ ② -15 ③ 0
④ 15 ⑤ $\frac{124}{5}$

8. $A(1,2,3), B(2,2,3), C(1,4,3), D(2,4,6)$을 꼭짓점으로 갖는 사면체의 경계면 S가 바깥으로 향하는 방향을 가지고 있다고 하자. S 위에서 벡터 장 $F(x,y,z)=(3x+y)i+(2yz)j+(e^x-z^2)k$의 면적분의 값은?

① 1 ② 2 ③ 3 ④ 6 ⑤ 18

9. 행렬 $A=\begin{bmatrix}1&0&1\\0&1&a\\2&1&1\end{bmatrix}$에 대하여 $(1, b, -2)$가 A의 고유벡터라고 하자. A의 고윳값 중 가장 큰 것을 c라고 할 때, $a+b+c$의 값은?

① 3 ② 4 ③ 5 ④ 6 ⑤ 7

10. L을 라플라스 변환(Laplace transform)이라고 하고 L^{-1}을 L의 역변환이라고 하자.
$f(t)=L^{-1}\left[\dfrac{s+15}{s^3+2s^2+5s}\right](t)$라고 할 때, $f(0)$의 값은?

① 0 ② 1 ③ 2 ④ 3 ⑤ 6

11. 함수 $f(x)=\begin{cases}\dfrac{2(e^{-x}-1+x)}{x^2} & (x\neq 0)\\ 1 & (x=0)\end{cases}$

에 대하여 $f'''(0)$의 값은?

① $-\dfrac{1}{60}$ ② $-\dfrac{1}{20}$ ③ $-\dfrac{1}{10}$
④ $\dfrac{1}{10}$ ⑤ $\dfrac{1}{20}$

12. 자연수 n에 대하여
$a_n=\int_0^4 x\sin\dfrac{n\pi x}{4}\,dx,\ b_n=\int_0^2 x\cos\dfrac{n\pi x}{2}\,dx$
라고 할 때, 다음 <보기>에서 옳은 것만을 고른 것은?

<보기>
ㄱ. $\sum_{n=1}^{\infty} a_n$은 수렴한다.
ㄴ. $\sum_{n=1}^{\infty} b_n$은 수렴한다.
ㄷ. $\sum_{n=1}^{\infty} a_n$은 절대수렴한다.
ㄹ. $\sum_{n=1}^{\infty} b_n$은 절대수렴한다.

① ㄱ, ㄴ ② ㄱ, ㄷ ③ ㄴ, ㄹ
④ ㄱ, ㄴ, ㄷ ⑤ ㄱ, ㄴ, ㄹ

13. 적분 $\int_0^1 \int_0^{1-z^2} \int_0^{1-z} 2e^{(1-x)^2} dxdydz$의 값은?

① $-e-\frac{4}{3}$ ② $-e+\frac{4}{3}$ ③ 1
④ $e-\frac{4}{3}$ ⑤ $e+\frac{4}{3}$

14. $v_1 = \frac{1}{\sqrt{3}}(1,1,1), v_2 = \frac{1}{\sqrt{2}}(1,0,-1), v_3 = (a,b,c)$ 가 공간 R^3의 직교정규기저(orthonormal basis)를 이룬다고 하자. 세 벡터 v_1, v_2, v_3 를 첫 번째, 두 번째, 세 번째 열로 가지는 행렬 A에 대하여, A^{-1}의 $(3,2)$ 성분은?

(단, a는 양의 실수)

① $-\frac{\sqrt{6}}{2}$ ② $-\frac{\sqrt{6}}{3}$ ③ 0
④ $\frac{\sqrt{6}}{3}$ ⑤ $\frac{\sqrt{6}}{2}$

15. $y(t)$가 초깃값 $y'-2y=-4y^2, y(0)=\frac{1}{4}$의 해일 때, $y(\ln 2)$의 값은?

① $\frac{1}{10}$ ② $\frac{1}{5}$ ③ $\frac{1}{3}$ ④ $\frac{2}{5}$ ⑤ $\frac{2}{3}$

16. 함수 $f(r)$가 구간 $(0,\infty)$에서 두 번 미분가능하고 $f(1)=0, f'(1)=1$이라고 하자.
이 변수함수 $u(x,y)=f\left(\sqrt{x^2+y^2}\right)$ 이 원점 $(0,0)$을 제외한 모든 점 (x,y)에서 $u_{xx}(x,y)+u_{yy}(x,y)=0$을 만족할 때, 이상적분 $\int_0^1 f(r)\,dr$의 값은?

① -2 ② -1 ③ 0 ④ 1 ⑤ 2

17. 함수 $f(x), g(x)$가 구간 $(-1,1)$에서 미분가능하고, $f(0)=0$이며, 모든 $x \in (-1,1)$에 대하여 $|g(x)-1+x-2x^2| \le f(x)$일 때, $f'(0)-g'(0)$의 값은?

18. 그림과 같이 S가 $A(1,0,0,), B(0,2,0), C(0,0,3)$을 꼭짓점으로 갖는 삼각형으로 위로의 방향을 가지고 있는 면이라고 하자.
S위에서 벡터장 $F(x,y,z)=(x-y)i+zj+yk$의 면적분의 값을 $\frac{q}{p}$라고 할 때, $p+q$의 값은?
(단, p, q는 서로소인 자연수)

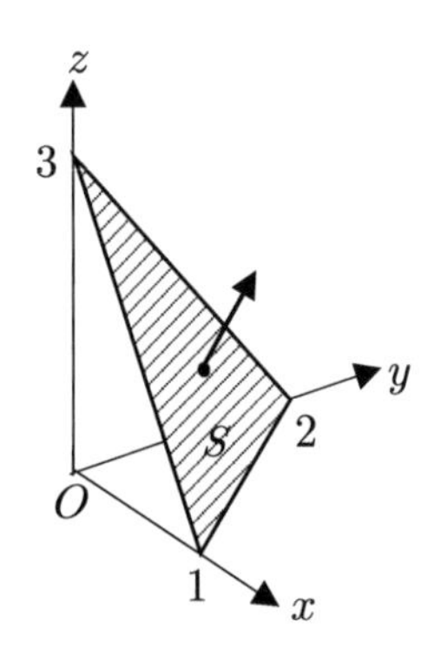

19. $\begin{bmatrix} y_1(t) \\ y_2(t) \end{bmatrix}$가 초깃값 문제

$$\begin{bmatrix} y_1{}' \\ y_2{}' \end{bmatrix} = \begin{bmatrix} -2 & -1 \\ 1 & -2 \end{bmatrix} \begin{bmatrix} y_1 \\ y_2 \end{bmatrix} + e^{-2t} \begin{bmatrix} 1 \\ -3 \end{bmatrix}, \begin{bmatrix} y_1(0) \\ y_2(0) \end{bmatrix} = \begin{bmatrix} 8 \\ 1 \end{bmatrix}$$

의 해일 때, $\frac{y_1(2\pi)}{y_2(2\pi)}$의 값은?

20. 행렬 $A = \begin{bmatrix} 1 & 2 & 3 & 4 \\ 2 & 3 & 4 & 5 \\ 3 & 4 & 5 & 6 \end{bmatrix}$에 대하여 벡터 $x=(-7,-5,1,1)$을 A의 영공간(nullspace)과 행공간(rowspace)에 들어가는 두 벡터 x_n, x_r의 합으로 나타
낼 때, 영공간에 들어가는 벡터인 x_n의 크기의 제곱은?

01. 함수 $f(x)=x-\cos x+1$의 역함수를 $g(x)$라고 할 때, 극한 $\lim_{x\to 0}\frac{\{g(x)\}^2}{x-g(x)}$의 값은? [4]

① -2 ② -1 ③ 0 ④ 1 ⑤ 2

02. 함수 $f(x)=\begin{cases}(1-x)^{1/x} & (x\neq 0)\\ a & (x=0)\end{cases}$가 구간 $(-\infty, 1]$에서 연속이고 $\lim_{x\to -\infty} f(x)=b$라고 할 때, $\frac{b}{a}$의 값은? [4]

① 0 ② $\frac{1}{e}$ ③ 1 ④ e ⑤ ∞

03. 다음 <보기>의 급수 중에서 수렴하는 것만을 있는 대로 고른 것은? [4]

<보기>

ㄱ. $\sum_{n=2}^{\infty}\left(\frac{n}{n-1}\right)^{n^2}$ ㄴ. $\sum_{n=1}^{\infty}\frac{1}{n}\sin\frac{1}{\sqrt{n}}$

ㄷ. $\sum_{n=1}^{\infty}(-1)^n\frac{\ln n}{n}$

① ㄱ ② ㄷ ③ ㄱ, ㄷ
④ ㄴ, ㄷ ⑤ ㄱ, ㄴ, ㄷ

04. 멱급수 $\sum_{n=1}^{\infty}\frac{(-1)^n}{3^n\sqrt{3n-1}}(x-2)^n$ 의 수렴구간은? [4]

① $(-1, 5)$ ② $(-1, 5]$ ③ $(-\infty, \infty)$
④ $\left(\frac{5}{3}, \frac{7}{3}\right)$ ⑤ $\left(\frac{5}{3}, \frac{7}{3}\right]$

05. 함수 $f(x,y)=\begin{cases} x^2+y-xe^y & (x\neq 0) \\ 0 & (x=0) \end{cases}$에 대하여 $\nabla f(0,0)=(\alpha,\beta)$라고 할 때, $\alpha+\beta$의 값은? [4]

① -2 ② -1 ③ 0 ④ 1 ⑤ 2

06. 다음 <보기>에서 옳은 것만을 있는 대로 고른 것은? [4]

<보기>

ㄱ. $\displaystyle\lim_{(x,y)\to(0,0)} \frac{xy}{\sqrt{x^2+y^2}}=0$

ㄴ. $\displaystyle\lim_{(x,y)\to(0,0)} \frac{xy^2}{x^2+y^4}=0$

ㄷ. $\displaystyle\lim_{(x,y)\to(0,0)} \frac{\sin(xy)}{|x|+|y|}=0$

① ㄱ ② ㄷ ③ ㄱ, ㄷ
④ ㄴ, ㄷ ⑤ ㄱ, ㄴ, ㄷ

07. 곡면 $x^2+4y^2+4z^2=9$위의 점 $(1,-1,1)$에서의 접평면의 방정식을 $ax+by+cz=1$이라고 할 때, $a+b+c$의 값은? [4]

① $-\frac{1}{9}$ ② 0 ③ $\frac{1}{9}$
④ -1 ⑤ 1

08. 영역 $D=\{(x,y)\in R^2\,|\,x\geq 0, x^2+y^2\leq 4\}$에서 정의된 함수 $f(x,y)=x^2-y^2-2x$의 최댓값과 최솟값의 합은? [4]

① $-\frac{9}{2}$ ② -4 ③ -1
④ 0 ⑤ $\frac{1}{2}$

09. $y(x)$가 초깃값 문제

$y''+2y'+\left(\frac{\pi^2}{4}+1\right)y=0$, $y(1)=1$, $y'(1)=-1$의

해일 때, $y(-1)$의 값은? [4]

① 0 ② e ③ $-e$

④ e^2 ⑤ $-e^2$

10. 벡터 (x, y, z)가 행렬 $A=\begin{bmatrix} 1 & 0 & 0 \\ 2 & 3 & -1 \\ 0 & 2 & 0 \end{bmatrix}$의 가장 큰 고윳값에 대응하는 고유벡터라고 할 때,

$\frac{y}{z}$의 값은? [4]

① -2 ② -1 ③ 0 ④ 1 ⑤ 2

11. 이상적분 $\int_0^\infty \frac{1}{\sqrt{x}(1+2x)}dx$ 의 값은? [5]

① 1 ② $\frac{\pi}{2}$ ③ $\frac{\pi}{\sqrt{2}}$ ④ π ⑤ ∞

12. $O(0,0,0)$, $A(x,1,0)$, $B(0,x,3)$, $C(-1,1,x)$를 꼭짓점으로 갖는 사면체의 부피의 최댓값은? (단, $-2 \le x \le 2$) [4]

① $\frac{1}{6}$ ② $\frac{1}{3}$ ③ $\frac{5}{6}$ ④ 1 ⑤ $\frac{5}{3}$

13. 직선 $x=1, x=2$와 곡선 $y=x^2, y=2x^2$으로 둘러싸인 영역 R에 대하여 $\iint_R \frac{x^4}{y^3}\exp\left(\frac{x^2}{y}\right)dxdy$의 값은? (단, $\exp(x)=e^x$) [5]

① $\frac{1}{2}e^{\frac{1}{2}}$ ② e^2 ③ $e-\frac{1}{2}e^{\frac{1}{2}}$

④ $e-e^{\frac{1}{2}}$ ⑤ $\frac{3}{2}\left(e-e^{\frac{1}{2}}\right)$

14. 그림과 같이 C가 $P(1,0)$에서 $Q(0,1)$까지의 선분, Q에서 $R(-1,0)$까지의 선분, R에서 P까지의 선분으로 이루어진 곡선일 때, C 위에서 벡터장 $F(x,y)=-\frac{y}{x^2+y^2}i+\frac{x}{x^2+y^2}j$의 선적분 값은? [5]

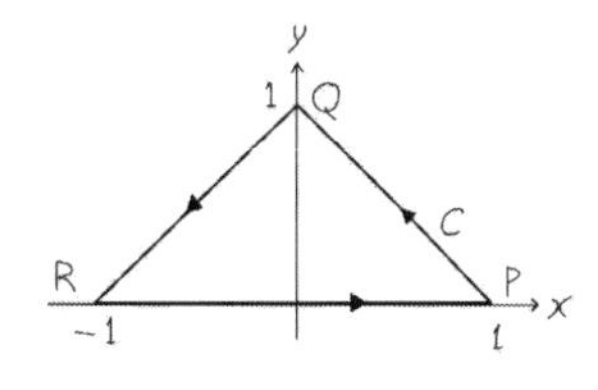

① $-\pi$ ② $-\frac{\pi}{2}$ ③ 0

④ $\frac{\pi}{2}$ ⑤ π

15. $y(x)$가 초깃값 문제 $y'=(x-y+1)^2, y(0)=1$의 해일 때, $y(1)$의 값은? [5]

① $\frac{e^2}{e^2+1}$ ② $\frac{e^2+3}{e^2+1}$ ③ $\frac{e^2-1}{e^2+1}$

④ $\frac{e^2+1}{e^2-1}$ ⑤ $\frac{e^2+1}{e^2}$

16. 행렬 $A=\begin{bmatrix} 1 & 2 & 0 & -2 \\ 0 & 4 & 3 & 0 \\ 0 & 3 & 0 & 0 \\ -2 & 1 & -1 & 3 \end{bmatrix}$의 역행렬 A^{-1}의 $(4,1)$성분은? [5]

① -2 ② -1 ③ 0 ④ 1 ⑤ 2

17. 극좌표로 표현된 곡선 $r=1+\cos\theta$에서 원 $r=\sqrt{3}\sin\theta$ 안에 있는 부분의 길이를 L이라 할 때, $6L$의 값은? [7.5]

18. 바깥으로 향하는 방향을 갖는 곡면 $x^2+2y^2+3z^2=6$을 S라고 하자. 곡면 S위에서 벡터장
$F(x,y,z)=(x^3-xy^2)i-2x^2yj+(3y^2z+z^3)k$ 의
면적분의 값을 $\frac{q}{p}\pi$라고 할 때, $p+q$의 값은?
(단, p,q는 서로소인 자연수) [7.5]

19. $\mathcal{L}$을 라플라스 변환이라고 하고 $\mathcal{L}^{-1}$를 $\mathcal{L}$의 역변환이라고 하자.
$f(t)=\mathcal{L}^{-1}\left\{\frac{1}{s^4+5s^2+4}\right\}(t)$에 대하여
$f\left(\frac{\pi}{2}\right)=\frac{q}{p}$라고 할 때, $p+q$의 값은? (단, p,q는 서로소인 자연수) [7.5]

20. R^4의 부분공간
$V=\left\{(x_1,x_2,x_3,x_4)\in R^4\,|\,x_1+x_2-x_4=0\right\}$에 대하여 벡터 $(3,-4,1,5)$의 V위로의 정사영을 (a,b,c,d)라고 할 때, $a+b+c+d$의 값은?
[7.5]

01. 방정식 $\frac{x-1}{2}=\frac{y-2}{2}=z-3$으로 주어진 직선을 L_1이라고 하고 두 점 $(1,0,2)$와 $(2,2,2)$를 지나는 직선 L_2라고 할 때, 두 직선 L_1과 L_2사이의 거리는?

① $\frac{1}{3}$

② $\frac{2}{3}$

③ 1

④ $\frac{4}{3}$

⑤ $\frac{5}{3}$

02. 함수 $f(x)=\sinh x\cosh x$의 역함수를 $g(x)$라고 할 때, $g'\left(\frac{15}{16}\right)$의 값은?

① $\frac{8}{17}$

② $\frac{8}{15}$

③ $\frac{4}{5}$

④ $\frac{32}{17}$

⑤ $\frac{32}{15}$

03. 함수 $f(x)=\begin{cases}\frac{\cos x^2-1}{x^3} & (x\neq 0)\\ 0 & (x=0)\end{cases}$에 대하여 $f^{(9)}(0)$의 값은?

① -504

② $-\frac{1}{720}$

③ 0

④ $\frac{1}{720}$

⑤ 504

04. $\int_0^1 \frac{\ln x}{\sqrt{x}}dx+\int_e^\infty \frac{1}{x(\ln x)^2}dx$의 값은?

① -5

② -3

③ 0

④ 3

⑤ 5

05. $f(x, y)= \begin{cases} \dfrac{x^3+y|y|}{\sqrt{x^2+y^2}} & (x, y)\neq(0,0) \\ 0 & (x, y)=(0,0) \end{cases}$ 와

평면벡터 $u=\left(\dfrac{1}{\sqrt{2}}, \dfrac{1}{\sqrt{2}}\right)$에 대하여

$\nabla f(0,0)=(a, b)$, $D_u f(0,0)=c$라고 할 때, $a+b+c$의 값은?

① 0
② 1
③ $\dfrac{3}{2}$
④ $1+\dfrac{1}{\sqrt{2}}$
⑤ 2

06. 함수 $f(x, y)=(x^2-y^2-3y-3)e^{-y}$의 안장점은?

① $(0,0)$
② $(1,0)$
③ $(-1,0)$
④ $(0,1)$
⑤ $(0,-1)$

07. 영역 $D=\{(x, y)\in R^2 | x^2+y^2 \le 1, y \le x, y \ge 0\}$에 대하여, 적분 $\iint_D \sqrt{1-x^2-y^2}\, dA$의 값은?

① $\dfrac{\pi}{24}$
② $\dfrac{\pi}{12}$
③ $\dfrac{\pi}{6}$
④ $\dfrac{\pi}{3}$
⑤ $\dfrac{\pi}{2}$

08. 영역 $D=\{(x, y)\in R^2 | 1 \le x \le 2, 1 \le y \le 2\}$에 대하여, 곡면 $z=\dfrac{2}{3}(x\sqrt{x}+y\sqrt{y}), (x, y)\in D$의 넓이는?

① $\dfrac{50\sqrt{5}}{3}+6\sqrt{3}-\dfrac{128}{3}$
② $25\sqrt{2}+9\sqrt{3}-64$
③ $10\sqrt{5}+\dfrac{18\sqrt{3}}{5}-\dfrac{128}{5}$
④ $\dfrac{20\sqrt{5}}{3}+\dfrac{12\sqrt{3}}{5}-\dfrac{256}{15}$
⑤ $\dfrac{20\sqrt{5}}{3}-\dfrac{12\sqrt{3}}{5}$

09. $y_1(t)$와 $y_2(t)$가 초깃값 문제 $y_1' = 4y_1 - y_2$, $y_2' = -2y_1 + 3y_2$, $y_1(0) = 5, y_2(0) = 2$의 해일 때, $y_1(1)$의 값은?

① $-8e + 13e^2$

② $e^2 + \frac{8}{3}e^5$

③ $\frac{7}{4}e + \frac{13}{4}e^5$

④ $-\frac{3}{2}e + \frac{13}{2}e^2$

⑤ $\frac{7}{3}e^2 + \frac{8}{3}e^5$

10. 행렬 A가 $A\begin{bmatrix}1\\0\\0\end{bmatrix} = \begin{bmatrix}1\\1\\1\end{bmatrix}$, $A\begin{bmatrix}0\\2\\0\end{bmatrix} = \begin{bmatrix}1\\2\\3\end{bmatrix}$, $A\begin{bmatrix}0\\0\\3\end{bmatrix} = \begin{bmatrix}1\\-1\\1\end{bmatrix}$을 만족할 때, A^{-1}의 $(2,3)$성분은?

① -1

② $\frac{4}{9}$

③ $\frac{2}{3}$

④ 1

⑤ $\frac{4}{3}$

11. 함수 $f(x) = \begin{cases} (1+x)^{1/x} + ax + b & (x > 0) \\ |x|^{3/2}\sin\frac{1}{x} & (x < 0) \\ c & (x = 0) \end{cases}$가 모든 실수에서 미분가능할 때, $a+b+c$의 값은?

① $-e$

② $-\frac{e}{2}$

③ 0

④ $\frac{e}{2}$

⑤ e

12. 네 평면 $y=0$, $z=0$, $y=x$, $x+y+z=2$로 둘러싸인 사면체 T에 대하여 적분 $\iiint_T y\,dV$의 값은?

① $\frac{1}{6}$

② $\frac{1}{3}$

③ $\frac{1}{2}$

④ 1

⑤ $\frac{3}{2}$

13. S가 원뿔면 $z=\sqrt{3(x^2+y^2)}$ 위와 구면 $x^2+y^2+z^2=1$아래에 놓인 입체의 경계곡면일 때, S 위에서 벡터장 $F(r)=|r|r$의 면적분의 값은? (단, $r=xi+yj+zk$이고 S는 바깥으로 향하는 방향을 갖는 곡면)

① $\left(\frac{3-\sqrt{3}}{4}\right)\pi$

② $\left(\frac{3-\sqrt{3}}{2}\right)\pi$

③ $\left(1-\frac{\sqrt{3}}{2}\right)\pi$

④ $(2-\sqrt{3})\pi$

⑤ $(3-\sqrt{3})\pi$

14. $y(x)$가 경계값 문제 $y''+4y'+4y=e^{-2x}+2x$, $y(0)=\frac{1}{2}$, $y(1)=2e^{-2}$의 해일 때, $y(-1)$의 값은?

① $-e^2-1$

② $-e^2$

③ e^2-1

④ e^2

⑤ $2e^2$

15. 4×4직교행렬 (orthogonal matrix)

$$A=\begin{bmatrix} 1/2 & -1/\sqrt{6} & 3/\sqrt{20} & a_1 \\ 1/2 & 2/\sqrt{6} & 1/\sqrt{20} & a_2 \\ 1/2 & -1/\sqrt{6} & -1/\sqrt{20} & a_3 \\ 1/2 & 0 & -3/\sqrt{20} & a_4 \end{bmatrix}$$ 에 대하여 벡터 $b=(1,2,1,3)$의 벡터 $a=(a_1,a_2,a_3,a_4)$위로의 정사영 (orthogonal projection)을 $p=(p_1,p_2,p_3,p_4)$라고 할 때, p_1의 값은?

① $\frac{5}{\sqrt{30}}$

② $\frac{1}{3}$

③ $\frac{2}{\sqrt{30}}$

④ $\frac{5}{\sqrt{15}}$

⑤ $\frac{1}{2}$

16. 3×3행렬 A와 0이 아닌 벡터 v_1, v_2, v_3에 대하여 $Av_1=v_2$, $Av_2=v_1$, $Av_3=2v_3$일 때, 다음 <보기>에서 옳은 것을 있는 대로 고른 것은? (단, v_1과 v_2는 일차독립)

<보기>

(ㄱ) A의 역행렬이 존재한다.

(ㄴ) A^2은 대각화 가능하다

(ㄷ) A^2의 대각합(trace)은 6이다.

① (ㄱ)

② (ㄷ)

③ (ㄱ), (ㄷ)

④ (ㄴ), (ㄷ)

⑤ (ㄱ), (ㄴ), (ㄷ)

17. 좌표평면에서 x축, y축, $y=\cos 2x-\sin x$의 그래프로 둘러싸인 부분 중 1사분면에 있는 영역을 x축 중심으로 회전하여 생기는 입체의 부피가 $\pi(a\pi+b\sqrt{3}+c)$일 때, $96(a+b+c)$의 값은? (단, a,b,c는 유리수)

18. 삼차원 공간에서 원점과 곡면 $xy^2z=8$위의 점 사이의 거리의 최솟값이 d일 때, d^2의 값은?

19. C가 벡터방정식 $r(t)=ti-\sin tj$, $0\le t\le\pi$로 주어진 곡선이라고 하자. C위에서 벡터장

$F(x,y)=\left(\frac{1}{\pi^2}x-y\sin x\right)i+\left(x-\sin y^2+\cos x\right)j$의

선적분 값이 $\frac{q}{p}$일 때, $p+q$의 값은?(단, p와 q는 서로소인 자연수)

20. $\mathcal{L}$을 라플라스 변환이라고 하고 $\mathcal{L}^{-1}$를 $\mathcal{L}$의 역변환이라고 하자.

$f(t)=\mathcal{L}^{-1}\left\{\frac{s+2}{s^2+1}+\frac{3se^{-\pi s}}{(s^2+4)(s^2+1)}\right\}(t)$일 때,

$5f\left(\frac{\pi}{2}\right)-f(2\pi)$의 값은?

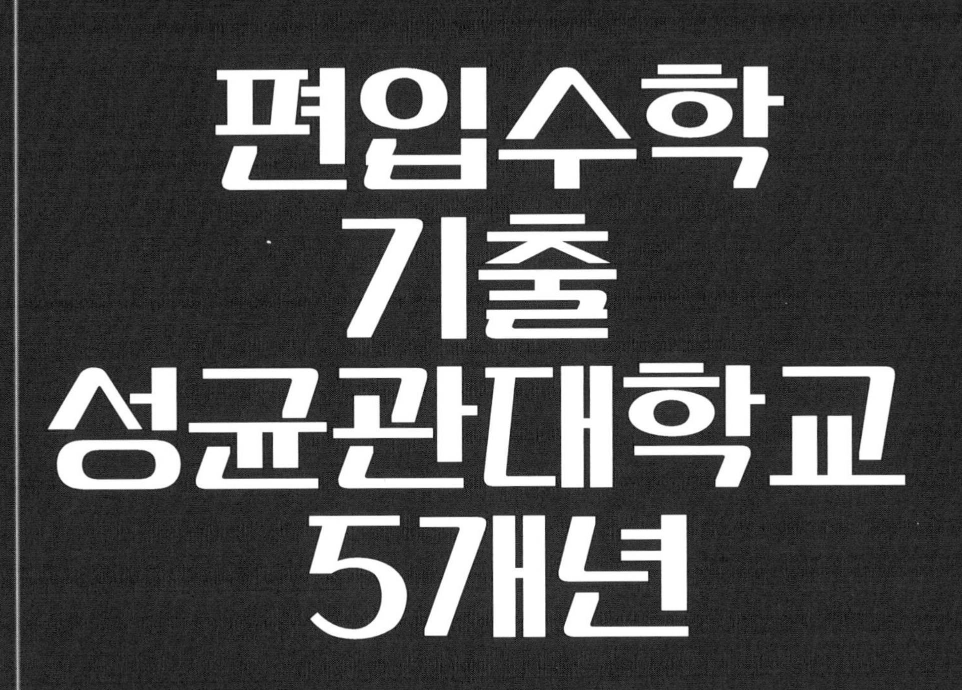

편입수학 기출 성균관대학교 5개년

스킬편입수학 연구소

skill_math

26. 극한 $\lim_{x\to\infty}\frac{(\ln(x+1))^3}{xlnx}$ 의 값은?

① 0
② e
③ 1
④ $\frac{1}{2}$
⑤ $\frac{1}{e}$

27. 닫힌 곡선 C가 좌표평면에서 식 $x^2+y^2=16$으로 정의되고 반시계 방향을 갖는다고 할 때, 다음 선적분의 값은?

$$\oint_C (3y-\sin x)dx+(7x+y^{2019})dy$$

① 16π
② 32π
③ 48π
④ 64π
⑤ 80π

28. 상수 a,b,c에 대하여 다음의 식이 성립할 때, 합 $a+b+c$의 값은?

$$\int\left(2x+\frac{1}{x}\right)\ln x dx$$

$$= ax^2\ln x+b(\ln x)^2+cx^2+(\text{적분상수})$$

① -1
② $-\frac{1}{2}$
③ 0
④ $\frac{1}{2}$
⑤ 1

29. y가 미분방정식 $y'+ty=0$ 의 해이고 $y(0)=1$일 때, $\frac{\sqrt{y(2)}}{(y(1))^2}$ 의 값은?

① 0
② 1
③ $\frac{\sqrt{2}}{4}$
④ $\frac{\sqrt{3}}{3}$
⑤ $\frac{\sqrt{e}}{9}$

30. 평면 위의 곡선 $y=x^2$ 위의 점$(1,1)$에서 곡률의 값은?

① $\frac{1}{5}$

② $\frac{2}{5\sqrt{7}}$

③ $\frac{3}{5}$

④ $\frac{2}{5\sqrt{5}}$

⑤ 1

31. y가 미분방정식 $y'=y(1-y), y(0)=\frac{1}{2}$의 해일 때 $y(1)$의 값은?

① 1

② e

③ $\frac{e}{e+1}$

④ $\frac{e+1}{e}$

⑤ 0

32. 실수 성분을 갖는 행렬 A에 대하여 다음 중 옳지 않은 것은?

① A가 대칭행렬일 때, A의 열공간과 영공간은 서로 직교한다.

② 행렬 $A=\begin{bmatrix}1&1\\0&1\end{bmatrix}$는 대각화가능하지 않다.

③ 행렬식 $Ax=b$의 해가 존재하지 않는다면, 행렬식 $Ax=0$은 자명해만을 가진다.

④ 가역행렬 A와 A^{-1}의 성분이 모두 정수라면, $\det(A)$의 값은 1 또는 -1이다.

⑤ A와 단위행렬 I가 서로 닮은 행렬이면, $A=I$이다.

33. 함수 $f(x)=\cos(x^3)$에 대하여 $\sum_{i=1}^{15}\frac{f^{(i)}(0)}{i!}$의 값은?

① $-\frac{29}{24}$

② $-\frac{23}{24}$

③ $-\frac{17}{24}$

④ $-\frac{11}{24}$

⑤ $-\frac{5}{24}$

34. y가 미분방정식

$$y'(t) = y(t) + 1 + 2\int_0^t y(s)ds,$$

$y'(0) = 2$의 해일 때, $y(1)$의 값은?

① e^2
② e
③ $\sqrt{e}$
④ $e - e^2$
⑤ $e + e^2$

35. 행렬 $A = \begin{bmatrix} 0&1&1&1 \\ 1&0&1&1 \\ 1&1&0&1 \\ 1&1&1&0 \end{bmatrix}$에 대하여, A^6의 대각합 $tr(A^6)$의 값은?

① 731
② 732
③ 733
④ 734
⑤ 735

36. 좌표공간 내의 곡면 $x^2 + y^2 + z^2 = 1$에서 $z \geq 0$인 부분 중, 평면 $z = \frac{1}{2}$의 윗부분에 놓인 곡면의 넓이의 값은?

① π
② $\frac{3\pi}{2}$
③ 2π
④ $\frac{5\pi}{2}$
⑤ 3π

37. 벡터공간 R^4에서 선형방정식 $2x_1 - x_3 + x_4 = 0$의 해공간을 W라고 할 때, 점$(1,1,1,1)$을 W로 직교사영 시킨 점은?

① $\left(-\frac{1}{3}, 1, \frac{2}{3}, \frac{4}{3}\right)$
② $\left(\frac{1}{3}, 1, \frac{2}{3}, \frac{4}{3}\right)$
③ $\left(\frac{2}{3}, 1, \frac{1}{3}, \frac{4}{3}\right)$
④ $\left(\frac{2}{3}, 1, -\frac{1}{3}, \frac{1}{3}\right)$
⑤ $\left(\frac{1}{3}, 1, \frac{4}{3}, \frac{2}{3}\right)$

38. y는 미분방정식
$2y'' - 3y' + y = 0, y(0) = y'(0) = 1$의 해이다.
y의 라플라스 변환
$L[y](s)$라 할 때 $\lim_{s \to \infty} \{sL[y](s)\}$ 의 값은?

① -1
② 0
③ e
④ 1
⑤ π

40. 행렬 $A = \begin{bmatrix} 1 & 4 \\ 2 & 3 \end{bmatrix}$와 자연수 n에 대하여, A^n의 모든 성분의 합을 a_n이라고 할 때, $\sum_{n=1}^{\infty} \frac{1}{a_n}$의 값은?

① $\frac{1}{8}$
② $\frac{1}{4}$
③ $\frac{3}{8}$
④ $\frac{1}{2}$
⑤ $\frac{5}{8}$

39. 네 개의 직선
$2x - y = 0, 2x - y = 2, x - 2y = 1, x - 2y = 3$에 의해 둘러싸인 영역 R에 대하여,
$\iint_R \left(\frac{2x - y}{x - 2y} \right) dA$의 값은?

① $\frac{\ln 3}{3}$
② $\frac{2\ln 3}{3}$
③ $\ln 3$
④ $\frac{4\ln 3}{3}$
⑤ $\frac{5\ln 3}{3}$

41. 다음 중 미분방정식
$(e^{2y} - y)\frac{dy}{dx} = \sin x, y(0) = 0$의 해집합 위에 있는 점은?

① $(1,2)$
② $(2,3)$
③ $(2\pi,0)$
④ $(2\pi,1)$
⑤ $(\pi,2)$

42. 곡면 S는 단위구면 $x^2+y^2+z^2=1$에서 z 좌표의 값이 0이상인 부분이고, S의 방향은 위쪽을 향한다.
벡터장 $F=< y+xz^2, x(xy+z^2), zy^2+x^2 >$가 곡면 S를 통과하는 유량은?

① $\frac{9\pi}{20}$
② $\frac{11\pi}{20}$
③ $\frac{13\pi}{20}$
④ $\frac{3\pi}{4}$
⑤ $\frac{17\pi}{20}$

43. 다음 중 구간 $-2<x<-1$에서 수렴하는 수열을 모두 고르면?

ㄱ. $\sum_{n=0}^{\infty}\frac{(-2)^n x^n}{\sqrt{n+1}}$

ㄴ. $\sum_{n=0}^{\infty}\frac{(x-1)^n}{\ln n}$

ㄷ. $\sum_{n=0}^{\infty}\frac{n(x+1)^n}{2^{n+1}}$

① ㄱ,ㄴ
② ㄴ,ㄷ
③ ㄱ
④ ㄴ
⑤ ㄷ

44. 평면 $z=x+2$ 와 원통 $x^2+y^2=1$의 내부와의 공통 영역으로 이루어진 면을 S라고 할 때, 면적분 $\iint_S zdS$의 값은?

① $\frac{\sqrt{2}}{3}\pi$
② $\frac{\sqrt{2}}{2}\pi$
③ $\sqrt{2}\pi$
④ $2\sqrt{2}\pi$
⑤ $3\sqrt{2}\pi$

45. 원 $a(x^2+y^2)+b(x+y)=1$이 네 개의 점 (0,1) (−1,0), (1,−1), (1,1)에 대한 최소제곱해일 때, 이 원의 넓이는?

① $\frac{155\pi}{98}$
② $\frac{160\pi}{98}$
③ $\frac{165\pi}{98}$
④ $\frac{170\pi}{98}$
⑤ $\frac{175\pi}{98}$

26. 함수 $F(s) = \dfrac{2s+4}{s^2+4s-5}$ 의 라플라스 역변환은?

① $e^t + e^{-5t}$
② $e^{-t} + e^{-5t}$
③ $e^t - e^{-5t}$
④ $te^{-t} + e^{5t}$
⑤ $e^{-t} - e^{5t}$

27. 두 행렬 $A = \begin{vmatrix} 1&1&1&1&1 \\ 0&1&1&1&1 \\ 1&0&1&1&1 \\ 1&1&0&1&1 \\ 1&1&1&0&1 \end{vmatrix}$ 와

$Q = \begin{vmatrix} 0&0&0&1&0 \\ 1&0&0&0&0 \\ 0&0&0&0&1 \\ 0&1&0&0&0 \\ 0&0&1&0&0 \end{vmatrix}$ 에 대하여

행렬 $Q^{-1}AQ$의 각 성분을 a_{ij}라고 할 때, $a_{11}+a_{12}+a_{33}+a_{54}+a_{15}$의 값은?

① 1
② 2
③ 3
④ 4
⑤ 5

28. 적분

$\displaystyle\int_0^1 \frac{1}{(x+1)(x+2)(x+3)(x+4)}\,dx$ 의 값은?

① $2\ln 2 - \ln 3 - \dfrac{1}{6}\ln 5$
② $\ln 2 + \ln 3 - \dfrac{1}{6}\ln 5$
③ $\ln 2 - \ln 3 + \dfrac{1}{6}\ln 5$
④ $2\ln 2 - \ln 3 + \dfrac{1}{6}\ln 5$
⑤ $\ln 2 + \ln 3 + \dfrac{1}{6}\ln 5$

29. 임의의 양의 상수 $c > 0$ 에 대하여

$f_c(t) = \begin{cases} \dfrac{1}{c}, 0 \le t \le c \\ 0, t > c \end{cases}$ 의 라플라스 변환을

$F_c(s)$라고 할 때 $\displaystyle\lim_{c \to 0+} F_c(2020)$의 값은?

① -2020
② -1
③ 0
④ 1
⑤ 2020

30. 멱급수 $\sum_{n=2020}^{\infty} \frac{(x-4)^{2021n}}{n+3}$ 의 수렴구간은?

① [3,5)
② [3,5]
③ (2,6]
④ [2,6)
⑤ $(-\infty,\ \infty)$

31. 다음 보기 중 적분 $\int_0^1 \sqrt{1+x^3}\,dx$ 의 값을 오차 0.01 이내로 근사한 값은?

① $\frac{33}{31}$
② $\frac{31}{28}$
③ $\frac{32}{27}$
④ $\frac{31}{26}$
⑤ $\frac{33}{27}$

32. 행렬 $A=\begin{bmatrix} 1 & 2 & 0 \\ 1 & 2 & 1 \\ 0 & -1 & 1 \\ -1 & -1 & 0 \end{bmatrix}$와 벡터 $v=\begin{bmatrix} 3 \\ -4 \\ 3 \\ 1 \end{bmatrix}$에 대하여 v에서 A의 열공간 까지의 거리는?

① $2\sqrt{2}$
② $2\sqrt{5}$
③ $2\sqrt{6}$
④ $2\sqrt{7}$
⑤ $2\sqrt{10}$

33. 좌표공간에서 원기둥 $E=\{(x,y,z)\,|\,x^2+y^2 \le 9, 1 \le z \le 3\}$의 경계곡면 S는 바깥쪽 방향을 가진다. 이 때 벡터장 $F= \langle x, -x+z^2, yz \rangle$ 가 S를 통과하는 유향은?

① 18π
② $18\pi+9$
③ $18\pi+18$
④ 9π
⑤ $9\pi+9$

34. 임의의 상수 α에 대하여 미분방정식 $y' - 2xy = x, y(0) = \alpha$ 의 해를 y_α 라고 할 때 $\lim_{x\to\infty} y_\alpha(x) < \infty$ 을 만족하는 α는?

① $-\frac{1}{3}$

② $-\frac{1}{2}$

③ 0

④ $\frac{1}{2}$

⑤ $\frac{1}{3}$

35. 구면 $x^2 + y^2 + z^2 = 2z$ 의 안쪽에 있고 원추면 $z = \sqrt{\frac{x^2+y^2}{3}}$ 의 위쪽에 놓여 있는 입체의 부피는?

① $\pi + \frac{3}{8}$

② $\frac{3}{2}\pi$

③ $\frac{5}{3}\pi$

④ $\frac{5\pi}{4}$

⑤ $\frac{8}{5}\pi$

36. 미분방정식 $y'' - 2y' + y = \frac{e^x}{x}$ 의 일반해는?

① $y = c_1 e^x + c_2 x e^x + (x+1)e^x \ln|x|$

② $y = c_1 e^x + c_2 x e^x - x e^x \ln|x|$

③ $y = c_1 e^x + c_2 x e^x + x e^x \ln|x|$

④ $y = c_1 e^x + c_2 x e^x - x^2 e^x \ln|x|$

⑤ $y = c_1 e^x + c_2 x e^x + x^2 e^x \ln|x|$

37. 벡터공간 R^4에서 선형방정식 $x + 2y + 3z + 4w = 0$ 의 해공간(solution space)을 W라 하자. 선형변환 $T : R^4 \to R^4$가 W로의 직교사영(Orthogonal Matrix) 일 때 T의 표준행렬(Standard Matrix)의 모든 성분(entry)의 합은?

① $-\frac{2}{3}$

② $-\frac{1}{3}$

③ 0

④ $\frac{1}{3}$

⑤ $\frac{2}{3}$

38. 철사 줄이 $x^2+y^2=1$의 왼쪽 반원이고 줄의 임의의 점에서의 밀도가 직선 $x=-2$로부터의 거리에 비례할 때, 철사 줄의 질량 중심의 x좌표는?

① $\dfrac{\pi-8}{\pi-4}$

② $\dfrac{\pi-8}{2(\pi-1)}$

③ $\dfrac{\pi-4}{4(\pi-1)}$

④ $\dfrac{\pi-4}{2(\pi-2)}$

⑤ $\dfrac{\pi-8}{4(\pi-1)}$

39. 좌표 공간 내에 곡면 S가 다음 식에 의해 정의되고 $z=4-x^2-y^2, x\ge 0, y\ge 0, z\ge 0$ 곡면 S의 경계곡면 C의 방향은 $z-$축의 양의 방향, 즉, 위에서 내려다보았을 때 시계 반대 방향이다. 벡터장 $F=<yz,-xz,1>$에 대하여 $\int_C F\cdot dr$의 값은?

① -2
② -1
③ 0
④ 1
⑤ 2

40. 미분방정식
$(2x^2+2xy^2+1)ydx+(3y^2+x)dy=0$
의 일반해는?

① $y^2e^{x^2}(y^2-x)=c$

② $y^2e^{x^2}(\frac{1}{2}y^2+x)=c$

③ $ye^{x^2}(y^2-x)=c$

④ $y^2e^{x^2}(\frac{1}{2}y^2-x)=c$

⑤ $ye^{x^2}(y^2+x)=c$

41. 두 곡선 $x^2=2y, x^2=3y$과 두 직선 $y=4x, y=5x$ 로 둘러싸인 영역의 넓이는?

① $\dfrac{303}{6}$

② $\dfrac{305}{6}$

③ $\dfrac{304}{5}$

④ $\dfrac{306}{5}$

⑤ $\dfrac{305}{4}$

42. 상수 a, b에 대하여 함수 $z = f(x,y) = a\sin(x) + b\cos(y)$가 세 개의 점 $(0,0,1), \left(\frac{\pi}{2},0,2\right), \left(\frac{\pi}{2}, \frac{\pi}{2}, 2\right)$에 대하여 최소제곱의 해일 때 $\int_0^{\frac{\pi}{2}}\int_0^{\frac{\pi}{2}} f(x,y)dxdy$의 값은?

① $\frac{5}{6}\pi$

② $\frac{7}{6}\pi$

③ $\frac{3}{2}\pi$

④ $\frac{11}{6}\pi$

⑤ $\frac{13}{6}\pi$

43. 곡선의 방정식이 $y = x^3$일 때 점$(1,1)$에서의 곡률원의 중심 좌표는?

① $\left(-6, \frac{13}{3}\right)$

② $\left(-5, \frac{10}{3}\right)$

③ $\left(-4, \frac{8}{3}\right)$

④ $(-3,\ 7)$

⑤ $(-2,\ 8)$

44. 크기가 10×10인 행렬 $A = [a_{ij}]$가 다음을 만족한다.

ㄱ. $\{a_{ij} | 1 \le i, j \le 10\} = \{1,2,3, \cdots, 100\}$

ㄴ. 각각의 정수 $1 \le p, q \le 10$에 대하여 $\sum_{i=1}^{10} a_{ip} = \sum_{j=1}^{10} a_{qj}$

만약 A가 가역행렬이라면 역행렬 A^{-1}의 모든 성분의 합은?

① 1

② $\frac{1}{10}$

③ $\frac{2}{101}$

④ $\frac{5}{101}$

⑤ $\frac{1}{5050}$

45. 양의 정수 k에 대하여 좌표평면 위의 네 개의 점$(k, \pm k), (-k, \pm k)$를 꼭짓점으로 하는 정사각형을 P_k라고 하자. P_2의 내부이면서 P_1의 외부인 영역을 R이라고 할 때 이중적분 $\iint_R \frac{1}{(x^2+y^2)^2} dA$의 값은?

① $\frac{\pi}{8} + \frac{1}{4}$

② $\frac{3\pi}{8} + \frac{1}{4}$

③ $\frac{\pi}{8} + \frac{3}{4}$

④ $\frac{3\pi}{8} + \frac{3}{4}$

⑤ $\frac{5\pi}{8} + \frac{3}{4}$

2021학년도 성균관대학교 영어25문항+수학20문항 90분

1. 곡선 $r=2\cos\theta$ 의 내부와 곡선 $r=1$ 의 외부의 공통부분 면적은? [2.4점]

① $\frac{\sqrt{3}}{4}+\frac{\pi}{6}$ ② $\frac{1}{2}+\frac{\pi}{6}$ ③ $\frac{\sqrt{3}}{2}+\frac{\pi}{6}$
④ $\frac{1}{2}+\frac{\pi}{3}$ ⑤ $\frac{\sqrt{3}}{2}+\frac{\pi}{3}$

2. 행렬 $A=\begin{bmatrix}0.9 & 0.2\\ 0.1 & 0.8\end{bmatrix}$에 대해 $\lim_{k\to\infty}A^k$를 구하면? [2.5점]

① $\frac{1}{6}\begin{bmatrix}0 & 0\\ 1 & 2\end{bmatrix}$ ② $\frac{1}{5}\begin{bmatrix}2 & 1\\ 1 & 2\end{bmatrix}$ ③ $\frac{1}{4}\begin{bmatrix}1 & 0\\ 2 & 0\end{bmatrix}$
④ $\frac{1}{3}\begin{bmatrix}2 & 2\\ 1 & 1\end{bmatrix}$ ⑤ $\frac{1}{2}\begin{bmatrix}0 & 1\\ 0 & 2\end{bmatrix}$

3. $\int_{-2}^{0}\int_{-x}^{2} e^{y^2}\,dy\,dx$ 의 값은? [2.4점]

① $\frac{1}{2}(e^4-1)$ ② $\frac{1}{3}(e^4-1)$ ③ $\frac{1}{4}(e^4-1)$
④ e^4-2 ⑤ e^4-1

4. 다음 미분방정식의 해의 형태로 적합한 것은? [2.5점]

$$\frac{dy}{dx}=-2xy$$

① 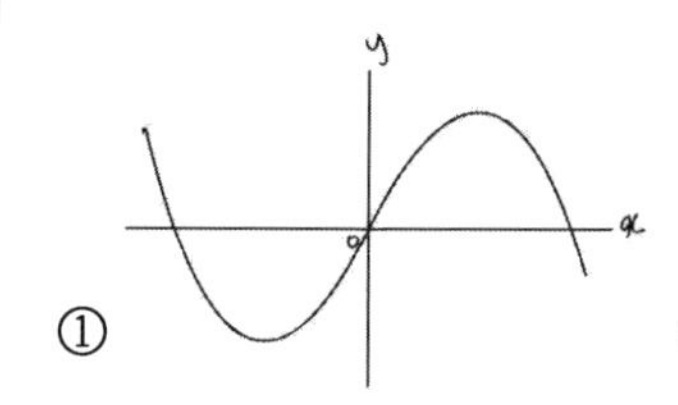

② 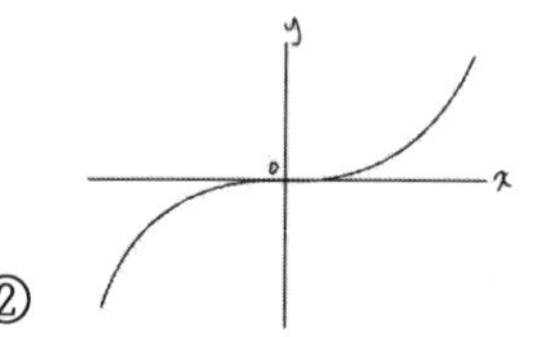

③ 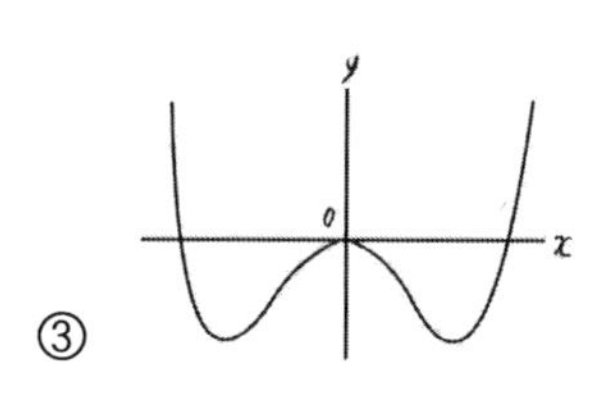

④ 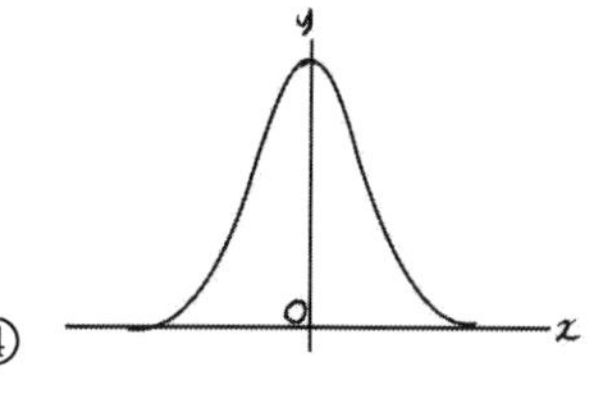

⑤ 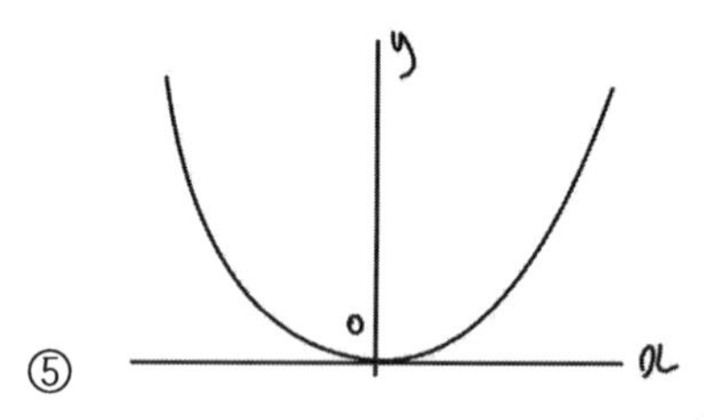

5. 실수 성분을 갖는 $n \times n$행렬 A에 대하여 다음 중 **옳지 않은** 것은? 단, $n \geq 2$이다. [2.4점]

① A가 대칭행렬 일 때, A의 고윳값은 항상 실수이다.

② $A = \begin{bmatrix} 1 & 2 & 3 \\ 0 & 0 & 0 \\ 0 & 0 & 0 \end{bmatrix}$의 영공간(null space)은 1차원이다.

③ A가 대칭행렬일 때, A는 항상 대각화 가능(diagonalizable)하다.

④ 방정식 $Ax = b$가 해를 가진다고 할 때 b는 A의 열공간(column space)에 속하는 벡터이다.

⑤ A가 가역행렬일 때, 방정식 $Ax = 0$은 자명해(trivial soiution)만을 가진다.

6. 벡터공간 R^2 에서 벡터 $a \in R^2$에 의해 생성되는 부분공간을 W라고 하자. 선형변환 $T : R^2 \to R^2$가 W로의 직교사영(orthogonal projection)일 때 T의 표준행렬(standard matrix) P의 고윳값(eigenvalue)에 대한 설명으로 옳은 것은? [2.6점]

① 고윳값은 1로 대수적중복도(algebraic multiplicity)는 2 이다.

② 고윳값은 0으로 대수적중복도는 2이다.

③ 고윳값은 1과 0이다.

④ 고윳값은 1과 2이다.

⑤ 고윳값은 P에 따라 다르다.

7. $\displaystyle\int_0^2 \int_0^{\sqrt{4-x^2}} \int_0^{\sqrt{4-x^2-y^2}} \frac{1}{\sqrt{x^2+y^2+z^2}} \, dzdydx$ 의 값은? [2.5점]

① $\frac{1}{2}\pi$ ② π ③ $\frac{3}{2}\pi$ ④ 2π ⑤ $\frac{5}{2}\pi$

8. 닫힌구간 $[0, \pi]$에서 연속인 함수 $f(x)$를 사인함수의 합 $\displaystyle\sum_{n=1}^{10} A_n \sin nx$으로 근사하려고 한다. 이 때, 다음과 같이 주어진 오차 E 를 최소화하는 A_n의 값을 구하면? [2.6점]

$$E = \frac{1}{2}\int_0^{\pi} \left(f(x) - \sum_{n=1}^{10} A_n \sin nx \right)^2 dx$$

① $A_n = \dfrac{2}{\pi}\displaystyle\int_0^{\pi} f(x) \sin nx \, dx$

② $A_n = \dfrac{1}{\pi}\displaystyle\int_0^{\pi} f(x) \sin nx \, dx$

③ $A_n = \dfrac{1}{\pi}\displaystyle\int_{-\pi}^{\pi} f(x) \sin nx \, dx$

④ $A_n = \dfrac{\pi}{2}\displaystyle\int_0^{\pi} f(x) \sin nx \, dx$

⑤ $A_n = \dfrac{2}{\pi}\displaystyle\int_{-\pi}^{\pi} f(x) \sin nx \, dx$

9. 멱급수 $\sum_{n=0}^{\infty} a_n(x+2)^n$의 수렴구간을 $[-9,5]$라 할 때, 멱급수 $\sum_{n=0}^{\infty} 3^n a_n(x-4)^n$의 수렴반경은? [2.6점]

① $\frac{1}{2}$ ② 1 ③ $\frac{3}{2}$ ④ $\frac{7}{3}$ ⑤ 3

10. $y=\int_0^{2x} \frac{1}{\sqrt{t^3+1}}dt$ 라 하자. x의 값이 1에서 1.03으로 증가할 때, y의 값의 변화량 Δy을 가장 정확히 근사한 값은? [2.5점]

① 0.01 ② 0.02 ③ 0.03

④ 0.04 ⑤ 0.05

11. 평면 $y=\frac{1}{2}$과 곡면 $z=\tan^{-1}(xy)$의 교선을 C라 할 때, 곡선 C위의 점 $\left(2, \frac{1}{2}, \frac{\pi}{4}\right)$에서 접선의 기울기는? [2.5점]

① $\frac{1}{8}$ ② $-\frac{1}{8}$ ③ $\frac{1}{6}$ ④ $-\frac{1}{6}$ ⑤ $\frac{1}{4}$

12. 미분방정식 $\frac{dx}{dt}=f(x)$의 몇 개의 해(굵은 실선)가 다음 그림과 같을 때 $f(x)$의 식으로 타당한 것은? [2.5점]

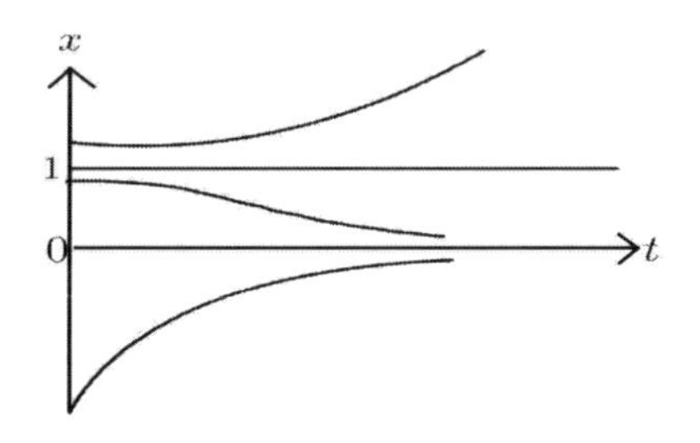

① $-x(x-1)$ ② $x^2(x-1)$ ③ $2x(x-1)$
④ $x(x-1)^2$ ⑤ $-2x(x-1)^2$

13. 극한 $\lim_{n\to\infty}\sum_{i=1}^{n}\frac{i}{n^2}e^{-\frac{2i}{n}}$ 의 값은? [2.4점]

① $\frac{1}{4}-\frac{3}{8}e^{-1}$ ② $\frac{3}{8}-\frac{1}{8}e^{-1}$ ③ $\frac{1}{8}-\frac{3}{8}e^{-2}$
④ $\frac{3}{4}-\frac{1}{4}e^{-2}$ ⑤ $\frac{1}{4}-\frac{3}{4}e^{-2}$

14. $x(t)$를 연립 미분방정식
$x'(t)=\begin{bmatrix}-2 & 2\\ 1 & -1\end{bmatrix}x(t), x(0)=\begin{bmatrix}1\\0\end{bmatrix}$의 해라고 할 때,
$\lim_{t\to\infty}x(t)$는? [2.5점]

① $\begin{bmatrix}\frac{2}{3}\\ -\frac{1}{3}\end{bmatrix}$ ② $\begin{bmatrix}\frac{1}{3}\\ \frac{1}{3}\end{bmatrix}$ ③ $\begin{bmatrix}\frac{1}{2}\\ -\frac{1}{3}\end{bmatrix}$

④ $\begin{bmatrix}1\\2\end{bmatrix}$ ⑤ $\begin{bmatrix}2\\1\end{bmatrix}$

15. 곡면 S는 평면 $z=1$위쪽에 놓여있는 원추면
$z=2-\sqrt{x^2+y^2}$ 의 부분이고,
S의 방향(orientation)은 위쪽을 향한다. 곡면 S를 통과하는 벡터장
$F(x,y,z)=(xy^2+\tan^2 z)i+(e^{x^2}+x\sin^3 z)j+(x^2z+y^2)k$
의 유량은? [2.5점]

① $\frac{1}{5}\pi$ ② $\frac{3}{5}\pi$ ③ π ④ $\frac{8}{7}\pi$ ⑤ $\frac{11}{7}\pi$

16. 다음은 서로 다른 a값에 대해 초깃값 문제
$\frac{d^2y}{dt^2}+a\frac{dy}{dt}+y=0, y(0)=1, y'(0)=0$의 해의 움직임(behavior)을 설명한 것이다. 이 중 옳지 않은 것은? [2.5점]

① $a=1$: 진동하면 감소한다.
② $a=0$: 감소하거나 증가하지 않으면 계속 진동한다.
③ $a=-1$: 진동하면 증가한다.
④ $a=2$: 진동 없이 증가한다.
⑤ $a=2\sqrt{2}$: 진동 없이 감소한다.

17. 좌표평면 위에 곡선 $y=\frac{1}{2\pi}x\sin(x^2)$과 두 개의 직선 $y=0, x=1$에 의해 둘러싸인 영역을 y축 둘레로 회전시켜 생기는 입체의 부피를 소수점 아래 둘째자리까지 정확하게 근사한 값은? [2.6점]

① $\frac{19}{270}$ ② $\frac{29}{270}$ ③ $\frac{49}{270}$
④ $\frac{57}{270}$ ⑤ $\frac{67}{270}$

18. 함수 $F(s)=\frac{2s}{s^2+3s+2}$의 라플라스 역변환은?[2.4점]

① $4e^{-2t}-2e^{-t}$
② $4e^{-2t}+2e^{-t}$
③ $e^{2t}-2e^{-t}$
④ $4e^{-t}+e^{-2t}$
⑤ $4te^{-t}-2e^{-t}$

19.
벡터 $F(x,y)=\left(4x^3y+e^{x^2}\right)i+\left(x^4+2y\cos\left(y^2\right)\right)j$이고 C는 $r(t)=\left(e^{t^3-t^2}-\cos(2\pi t)\right)i+\left(3\sin\left(\frac{\pi}{2}t^3\right)-2t^7\right)j$, $0\le t\le 1$로 주어진 곡선일 때,
선적분 $\int_C F\cdot dr$의 값은? [2.6점]

① $\sin(1)$ ② $\cos(1)$ ③ 0 ④ $\frac{11}{26}$ ⑤ $\frac{7}{25}$

20. $y_p(t)$를 다음 미분방정식
$\frac{d^2y}{dt^2}-\frac{dy}{dt}-2y=-8e^t\cos2t$ 의 특수해(particular solution)라고 할 때, $y_p\left(\frac{\pi}{2}\right)$의 값은? [2.5점]

① $\frac{8}{5}$ ② $-\frac{6}{5}e^{\frac{\pi}{2}}$ ③ $\frac{6}{5}e^{-\frac{\pi}{2}}+\frac{2}{5}$
④ $\frac{2}{5}e^{\frac{\pi}{2}}+\frac{6}{5}$ ⑤ $\frac{2}{5}e^{\frac{\pi}{2}}$

26. 유리함수 $\dfrac{x^2+2x-1}{(x^2-9)(x^2+2)^2}$ 을 부분분수 분해의 형태로 나타내면? (단, A, B, C, D, E, F는 상수이다.) [2.4]

① $\dfrac{Ax+B}{x^2-9}+\dfrac{(Cx+D)^2}{(x^2+2)^2}$

② $\dfrac{Ax+B}{x^2-9}+\dfrac{Cx^3+Dx^2+Ex}{(x^2+2)^2}$

③ $\dfrac{Ax+B}{x^2-9}+\dfrac{C}{x^2+2}+\dfrac{Dx+E}{(x^2+2)^2}$

④ $\dfrac{A}{x+3}+\dfrac{B}{x-3}+\dfrac{Cx^2+Dx+E}{(x^2+2)^2}$

⑤ $\dfrac{A}{x+3}+\dfrac{B}{x-3}+\dfrac{Cx+D}{x^2+2}+\dfrac{Ex+F}{(x^2+2)^2}$

27. 행렬 $A=\begin{pmatrix} 1&0&1&0&1&1 \\ 1&0&0&1&1&0 \\ 0&1&0&0&0&1 \\ 1&1&0&1&1&1 \end{pmatrix}$의 계수(rank)는? [2.4]

① 2 ② 3 ③ 4 ④ 5 ⑤ 6

28. 실수 전체의 집합에서 연속인 함수 $f(x)$가 $\int_{-1}^{1} f(x)dx=1$을 만족한다.
영역 $R=\{(x,y)\,|\,|x|+|y|\le 1\}$에 대하여 $\iint_R f(x+y)dA$의 값은? [2.5]

① 1 ② 2 ③ 3 ④ 4 ⑤ 5

29. 함수 $F(s)=\dfrac{e^{-3s}s}{s^2+4}$의 라플라스역변환은?
(단, $u(t)$은 $u(t):=\begin{cases} 0, t<0 \\ 1, 0<t \end{cases}$로 정의된 단위계단함수(unit step function)이다.) [2.4]

① $\dfrac{1}{3}\sin(2t-6)u(t-3)$ ② $\cos(2t-3)u(t-3)$
③ $\cos(2t-6)u(t-3)$ ④ $\cos(2t+6)u(t-3)$
⑤ $\sin(2t+6)u(t-3)$

30. 곡선 C가 점 $(1,0)$에서 시작하여 점 $(0,1)$에서 끝나는 astroid $x^{\frac{2}{3}}+y^{\frac{2}{3}}=1$의 제1사분면에 있는 부분곡선일 때, $\int_C (y\cos(xy)-1)dx+(x\cos(xy)+1)dy$의 값은? [2.5]

① 1 ② 2 ③ $\frac{5}{2}$ ④ 3 ⑤ $\frac{7}{2}$

31. 벡터공간 R^3상의 세 벡터 $v_1=\langle 1,0,1\rangle, v_2=\langle 0,1,1\rangle, v_3=\langle 0,0,1\rangle$에 대하여 선형변환 $T: R^3 \to R^3$가 $T(v_1)=v_2,\ T(v_2)=v_3,\ T(v_3)=v_1$을 만족할 때, T의 한 고유벡터가 $w=\langle 1,a,b\rangle$이다. $a+b$의 값은? [2.4]

① 1 ② 2 ③ 3 ④ 4 ⑤ 5

32. 극한 $\lim_{x\to 0}\left[\frac{1}{x^2}\int_0^{2x}\ln(1+\tan^{-1}t)dt\right]$의 값은? [2.5]

① $\frac{1}{4}$ ② $\frac{1}{2}$ ③ 1 ④ 2 ⑤ 4

33. 미분방정식 $y''+2y'+y=2e^{-t}$의 해 $y=y(t)$가 $y(0)=1,\ y'(0)=0$을 만족할 때, $y(1)$의 값은? [2.4]

① $\frac{1}{2}e$ ② $3e^{-1}$ ③ $e+e^{-1}$
④ 1 ⑤ 0

34. 다음 <보기>중 옳은 것을 모두 고르면? [2.6]

<보기>
(가) 모든 n에 대하여 $a_n \geq 0$일 때, 급수 $\sum_{n=1}^{\infty} a_n$가 수렴하면 급수 $\sum_{n=1}^{\infty} \sqrt{a_n}$도 수렴한다.
(나) 모든 n에 대하여 $a_n \geq 0$일 때, 급수 $\sum_{n=1}^{\infty} na_n$가 수렴하면 급수 $\sum_{n=1}^{\infty} a_n$도 수렴한다.
(다) 모든 n에 대하여 $a_n \geq 0$이고 $a_{n+1} \leq a_n$일 때, 급수 $\sum_{n=1}^{\infty} a_n^{2022}$가 수렴하면 급수 $\sum_{n=1}^{\infty} (-1)^n a_n$도 수렴한다.

① (가), (나) ② (가), (다) ③ (나)
④ (나), (다) ⑤ (다)

35. 4차원 유클리드 내적공간 R^4에서 두 벡터 $w_1 = \langle 1, 0, 0, 0 \rangle$, $w_2 = \left\langle -1, 0, \frac{1}{\sqrt{2}}, \frac{1}{\sqrt{2}} \right\rangle$ 에 의해 생성된 부분공간을 W라 하자. 벡터 $v = \langle 1, 2, 3, 4 \rangle$에 대하여 부분공간 W위로의 v의 정사영을 $proj_w v = \langle a, b, c, d \rangle$라 할 때, $a+b+c+d$의 값은? [2.4]

① 4 ② 5 ③ 6 ④ 7 ⑤ 8

36. 다음 극한값 $\lim_{x \to 0} \frac{\left(e^{x^2} - x^2 - 1\right)(\sin x - x)}{x^{\beta}}$ 이 영(zero)이 아닌 유리수가 되도록 하는 상수 β의 값은? [2.5]

① 3 ② 4 ③ 5 ④ 6 ⑤ 7

37. $200L$의 물이 들어있는 큰 용기에 초기에 $100kg$의 소금이 녹아 있다고 하자. 이 용기에 소금물 $3L/\text{min}$의 비율로 유입되고 용기 속에서 잘 섞인 소금물 $2L/\text{min}$의 비율로 유출된다고 가정하자. 유입되는 소금의 농도가 $1kg/L$이고 시간$t(\text{min})$에서 용기에 있는 소금의 양을 $x(t)(kg)$이라 할 때, $x(t)$가 만족하는 초기치 문제는? [2.5]

① $\frac{dx}{dt} = 3 - \frac{2x}{200+t}, x(0) = \frac{1}{2}$
② $\frac{dx}{dt} = 3 - \frac{x}{100}, x(0) = \frac{1}{2}$
③ $\frac{dx}{dt} = 3 - \frac{x}{100+t}, x(0) = 100$
④ $\frac{dx}{dt} = 3 - \frac{2x}{200+t}, x(0) = 100$
⑤ $\frac{dx}{dt} = 3 - \frac{3x}{100+t}, x(0) = 100$

38. 역행렬이 존재하는 3×3행렬 A와 행렬 $B=\begin{pmatrix}1&0&-1\\0&3&-1\\0&0&5\end{pmatrix}$에 대하여 $2A=A^2+BA$를 만족한다. A의 모든 고윳값을 나열한 것은? [2.5]

① $-1, 1$　② $-3, -1$　③ $-1, 0, 1$
④ $-3, -1, 1$　⑤ $-3, -1, 0$

40. 아래 미분방정식의 모든 정칙특이점 (regular singular point)을 구하면? [2.5]

$$x(x-1)^2(x+2)^3(x-2)^2y''-(x-1)(x+2)^2y'+xy=0$$

① $-2, 1$　② $0, 1$　③ $0, 2$
④ $-1, 0, 1$　⑤ $0, 1, 2$

39. 폐곡면 $S=\left\{(x, y, z)\,\middle|\, x^2+\frac{y^2}{2}+\frac{z^2}{3}=1\right\}$의 방향(orientation)이 바깥쪽을 향할 때, 벡터장 $F(x, y, z)=\frac{\langle x, y, z\rangle}{(x^2+y^2+z^2)^{\frac{3}{2}}}$에 대하여 면적분 $\iint_s F\cdot dS$의 값은? [2.6]

① 0　② π　③ 2π　④ 3π　⑤ 4π

41. 3×3행렬 A가 $A\begin{pmatrix}1\\1\\1\end{pmatrix}=\begin{pmatrix}2\\2\\2\end{pmatrix}$, $A\begin{pmatrix}2\\0\\-1\end{pmatrix}=\begin{pmatrix}-2\\0\\1\end{pmatrix}$을 만족할 때, $A^4\begin{pmatrix}1\\5\\7\end{pmatrix}$의 값은? [2.5]

① $\begin{pmatrix}76\\80\\82\end{pmatrix}$　② $\begin{pmatrix}74\\80\\84\end{pmatrix}$　③ $\begin{pmatrix}75\\81\\83\end{pmatrix}$
④ $\begin{pmatrix}76\\81\\83\end{pmatrix}$　⑤ $\begin{pmatrix}75\\79\\83\end{pmatrix}$

42. $\int_0^{2\pi} \frac{dt}{3\cos^2 t + 4\sin^2 t}$ 의 값은? [2.6]

① $\frac{\pi}{3}$ ② $\frac{\pi}{\sqrt{5}}$ ③ $\frac{\pi}{2}$
④ $\frac{\pi}{\sqrt{3}}$ ⑤ $\frac{\pi}{\sqrt{2}}$

43. 매개변수변화법(variation of parameters)을 사용하여 미분방정식 $y'' + 4y = \frac{1}{\sin 2t}$ 의 특수해 y_p를 구할 때, y_p는 다음과 같은 $y_p = v_1(t)\cos 2t + v_2(t)\sin 2t$ 형태를 취한다. 이때, $v_2(t)$가 될 수 있는 것은? [2.5]

① $\frac{1}{\sin 2t}$ ② $\frac{t}{4}$ ③ $\cos 2t$
④ $\frac{1}{4}\ln|\sin 2t|$ ⑤ $\frac{1}{2}\ln|\sin 2t|$

44. a와 b가 양수일 때, 나선 $r(t) = (a\cos t)i + (a\sin t)j + btk$위의 점 $\left(\frac{a}{2}, \frac{\sqrt{3}}{2}a, \frac{b\pi}{3}\right)$ 에서의 곡률원의 중심을 구하면? [2.6]

① $\left(\frac{a^2}{2b}, -\frac{(a^2+b^2)\sqrt{3}}{2b}, \frac{b\pi}{6}\right)$
② $\left(-\frac{b^2}{2a}, -\frac{b^2\sqrt{3}}{2a}, \frac{b\pi}{3}\right)$
③ $\left(\frac{a^2+b^2}{2a}, \frac{(a^2+b^2)\sqrt{3}}{2a}, \frac{2b\pi}{3}\right)$
④ $\left(\frac{b^2}{2a}, \frac{b^2\sqrt{3}}{2a}, \frac{b\pi}{3}\right)$
⑤ $\left(-\frac{a^2+b^2}{2b}, \frac{(a^2+b^2)\sqrt{3}}{2b}, \frac{2b\pi}{3}\right)$

45. 단순 폐곡선 (simple closed curve) C가 좌표평면에서 식 $2x^2 + 3y^2 = 6$으로 정의되고 반시계 방향을 갖는다고 할 때, 선적분 $\int_C \frac{y^3 dx - xy^2 dy}{(x^2+y^2)^2}$ 의 값은? [2.6]

① -2π ② $-\pi$ ③ 0 ④ π ⑤ 2π

26. 원추면 $z=-\sqrt{x^2+y^2}$ 의 위와 구면 $x^2+y^2+z^2=4$의 내부에 있는 입체를 구면좌표(spherical coordinates) (ρ, θ, ϕ)를 사용하여 나타낼 때, ϕ의 범위는? [2.4]

① $0 \le \phi \le \frac{\pi}{6}$

② $0 \le \phi \le \frac{\pi}{4}$

③ $0 \le \phi \le \frac{\pi}{2}$

④ $0 \le \phi \le \frac{3\pi}{4}$

⑤ $0 \le \phi \le \frac{5\pi}{6}$

27. 부등식 $x^2+y^2+z^2 \le 10$에 의하여 주어지는 영역에서 함수 $f(x,y,z)=y+2z$의 최솟값을 구하면? [2.4]

① -1

② -2

③ $-5\sqrt{2}$

④ $-\sqrt{51}$

⑤ $-7\sqrt{3}$

28. 선형변환 $T: R^4 \to R^6$를 나타내는 행렬이 $\begin{pmatrix} 1 & 0 & 1 & 1 \\ 1 & -1 & 0 & 0 \\ 1 & 0 & 1 & 1 \\ 0 & 1 & 1 & 1 \\ 0 & 1 & 1 & 1 \\ 0 & 1 & 1 & 1 \end{pmatrix}$이고, 유클리드 내적공간 R^6상의 부분공간 W를

$W=\{w \in R^6 | v \in Im\,T$인 모든 v에 대해 $v \cdot w=0\}$

로 정의할 때, W의 차원(dimension)은?

(단, $Im\,T=\{T(u) | u \in R^4\}$이고 $v \cdot w$는 R^6상의 표준내적이다.) [2.4]

① 1

② 2

③ 3

④ 4

⑤ 5

29. 미분방정식

$\frac{-2y}{x}dx+(x^2y\cos y+1)dy=0$의

적분인자(integrating factor)인 것은? [2.4]

① 1

② $\frac{-2}{x}$

③ $\frac{1}{x^2}$

④ $-2x$

⑤ x^2

30. 멱급수

$f(x)=\sum_{k=0}^{\infty}\frac{x^k}{(2k+1)!}=1+\frac{x}{3!}+\frac{x^2}{5!}+\frac{x^3}{7!}+\cdots$는

모든 실수 x에 대하여 수렴한다. 방정식 $f(x)=0$의 해집합은? [2.5]

① $\{-(n\pi)^2 | n=1,2,3,\ \cdots\}$
② $\{-(2n\pi)^2 | n=1,2,3,\ \cdots\}$
③ $\{-n\pi | n=1,2,3,\ \cdots\}$
④ $\{-2n\pi | n=1,2,3,\ \cdots\}$
⑤ $\{-(2n+1)\pi | n=1,2,3,\ \cdots\}$

31. 다음 그래프는 도함수 $f'(x)$의 그래프이다. 주어진 $f(x)$값들 중에서 가장 큰 값은? [2.4]

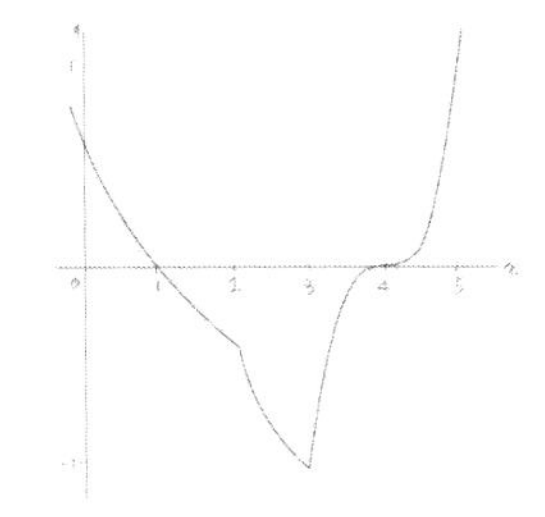

① $f\left(\frac{1}{2}\right)$
② $f(1)$
③ $f(2)$
④ $f(3)$
⑤ $f(4)$

32. 미분방정식 $ydx+\sqrt{x^2+1}\,dy=0$의 해는? (단, C는 적분상수를 나타낸다.) [2.5]

① $y\left(1+\sqrt{x^2+1}\right)=C$
② $y\left(x+\sqrt{x^2+1}\right)=C$
③ $xy+\sqrt{x^2+1}=C$
④ $xy+\frac{y}{\sqrt{x^2+1}}=C$
⑤ $y\left(1+\frac{x}{\sqrt{x^2+1}}\right)=C$

33. $y(x)=\sum_{n=0}^{\infty}a_n(x-1)^n$가 미분방정식 $(x+2)(x^2+4)y''+(x+20)y'+(x^2+23)y=0$의 멱급수해(power series solution)일 때, 이 해의 수렴반경은? [2.5]

① $\frac{1}{2}$
② $\sqrt{3}$
③ 2
④ $\sqrt{5}$
⑤ $\frac{3}{2}$

34. $[x]$가 x보다 크지 않은 최대 정수를 나타낼 때, 적분 $\int_0^{\infty}[x]e^{-x}dx$의 값은? [2.5]

① $\dfrac{e}{e^2-1}$
② $\dfrac{1}{e-1}$
③ $\dfrac{e-1}{e}$
④ 1
⑤ $+\infty$

35. 다음의 영역
$D=\left\{(x,y)|x^2+y^2\le 1, (x-1)^2+y^2\le 1\right\}$를 $y-$축을 중심으로 회전시킬 때, 얻어지는 입체의 부피는? [2.5]

① $\dfrac{2}{3}\pi^2-\dfrac{\sqrt{3}}{2}\pi$
② $\dfrac{1}{3}\pi^2-\dfrac{\sqrt{3}}{2}\pi$
③ $\dfrac{1}{3}\pi-\dfrac{\sqrt{3}}{2}\pi^2$
④ $\dfrac{1}{2}\pi^2-\dfrac{\sqrt{3}}{2}\pi$
⑤ $\dfrac{2}{3}\pi-\dfrac{\sqrt{3}}{3}\pi^2$

36. 집합 $\{1,2,3,4,5,6\}$상의 다음의 치환(permutation)중에서 짝치환(even permutation)은? [2.5]

① $\begin{pmatrix}1&2&3&4&5&6\\4&5&6&1&2&3\end{pmatrix}$
② $\begin{pmatrix}1&2&3&4&5&6\\2&4&5&1&3&6\end{pmatrix}$
③ $\begin{pmatrix}1&2&3&4&5&6\\2&3&4&5&6&1\end{pmatrix}$
④ $\begin{pmatrix}1&2&3&4&5&6\\3&2&1&6&4&5\end{pmatrix}$
⑤ $\begin{pmatrix}1&2&3&4&5&6\\2&1&4&5&6&3\end{pmatrix}$

37. 두 곡선 $C_1:\{(x,y)|x=y, 0\le x\le 1\}$, $C_2:\left\{(x,y)|x=t^2, y=t^3, 0\le t\le 1\right\}$에 의해 둘러싸인 영역을 D라 할 때, D의 무게중심 (centroid, center of mass)를 $(\bar{x},\bar{y})$라 하자. $(\bar{x},\bar{y})$의 값은? [2.5]

① $\left(\dfrac{10}{21},\dfrac{10}{24}\right)$
② $\left(\dfrac{10}{20},\dfrac{10}{24}\right)$
③ $\left(\dfrac{10}{21},\dfrac{10}{23}\right)$
④ $\left(\dfrac{10}{20},\dfrac{10}{22}\right)$
⑤ $\left(\dfrac{10}{22},\dfrac{10}{23}\right)$

38. $f(x)=\int_{x}^{1} e^{t^2+xt}dt$일 때, $f'(0)$은? [2.6]

① $e\cos(1)-2$
② $-2+e$
③ $\frac{e}{2}-\frac{3}{2}$
④ $\frac{e}{2}+\frac{1}{2}$
⑤ $\frac{e}{2}-\frac{1}{2}$

39. 행렬 $A=\begin{pmatrix} 1 & 1 & 1 \\ 1 & 1 & 1 \\ 1 & 1 & 1 \end{pmatrix}$에 관한 다음 <보기> 중 옳은 것을 모두 고르면? [2.5]

<보기>
(가) A의 모든 고윳값(eigenvalue)의 합은 3이다.
(나) A의 모든 고유벡터(eigenvector)에 의해 생성되는 벡터공간은 R^3이다.
(다) A는 대각화가능(diagonalizable)하다.

① (가)
② (가), (나)
③ (가), (다)
④ (나), (다)
⑤ (가), (나), (다)

40. $f(t)=\int_{0}^{t} \sin(2v)dv$의 라플라스 변환을 $F(s)$라고 할 때, $F(2)$을 구하면? [2.5]

① 1
② $\frac{7}{28}$
③ $-\frac{1}{4}$
④ $\frac{1}{8}$
⑤ $-\frac{2}{3}$

41. 행렬식 (determinant)$\begin{vmatrix} 1 & 1 & 1 & 9^3 \\ 1 & 2 & 2^2 & 8^3 \\ 1 & 3 & 3^2 & 7^3 \\ 1 & 4 & 4^2 & 6^3 \end{vmatrix}$의 값은? [2.6]

① -12
② -11
③ -10
④ -9
⑤ -8

42. 다음 <보기> 중 참인 것을 모두 고른 것은? [2.6]

<보기>
(가) $\nabla f = (y+x^3)i + (x+z\sin y)j - \cos yk$을 만족하는 함수 $f: R^3 \to R$가 존재한다.
(나) $curlF = y^2 i + x^3 j + zk$을 만족하는 R^3상의 벡터장 F가 존재한다.
(다) S가 구면 $x^2+y^2+z^2=z$이고 F가 상수벡터장(constant vector field)이면, 이때 $\iint_S F \cdot dS = 0$이다.

① (가), (나), (다)
② (나), (다)
③ (가), (다)
④ (가), (나)
⑤ (가)

43. 벡터공간 R^3상의 기저(basis) $\{v_1, v_2, v_3\}$와 선형변환 $T: R^3 \to R^3$가 $T(v_1+v_2) = v_1 - v_3$, $T(v_2 - v_3) = v_1 + v_2$, $T(v_1 - v_3) = v_2 + v_3$을 만족할 때, $T(4v_1 + 3v_2 - 5v_3)$의 값은? [2.5]

① $3v_1 - 5v_2 - 2v_3$
② $-3v_1 + 5v_2 - 2v_3$
③ $3v_1 - 5v_2 + 2v_3$
④ $-3v_1 - 5v_2 + 2v_3$
⑤ $3v_1 + 5v_2 + 2v_3$

44. $y = y(t)$가 미분방정식 $y' = (y^2-1)e^{2023y+1}$, $y(0) = \frac{1}{2}$의 해 일 때, <보기> 중 참인 것을 모두 고른 것은? [2.6]

<보기>
(가) $\lim_{t\to\infty} y(t) = -\infty$
(나) $\lim_{t\to\infty} y(t) = 1$
(다) $\lim_{t\to\infty} y(t) = -1$
(라) 모든 t에 대하여 $-1 < y(t) < 1$
(마) 모든 t에 대하여 $|y(t)| > 1$

① (가),
② (가), (마)
③ (나), (라)
④ (다), (라)
⑤ (다), (마)

45. 곡면 S는 평면 $z=1$위쪽에 놓여있는 곡면 $z = 10 - x^2 - y^2$의 부분이고, S의 방향(orientation)은 위쪽을 향한다고 하자. 이때, 벡터장
$F(x, y, z) = (e^{y+z} - 2y)i + (xe^{y+z} + y)j + e^{x+y}k$
에 대하여 $\iint_S curlF \cdot dS$을 계산하면? [2.6]

① $\frac{27}{5}\pi$
② 9π
③ 12π
④ $\frac{95}{7}\pi$
⑤ 18π

편입수학 기출 한양대학교 5개년

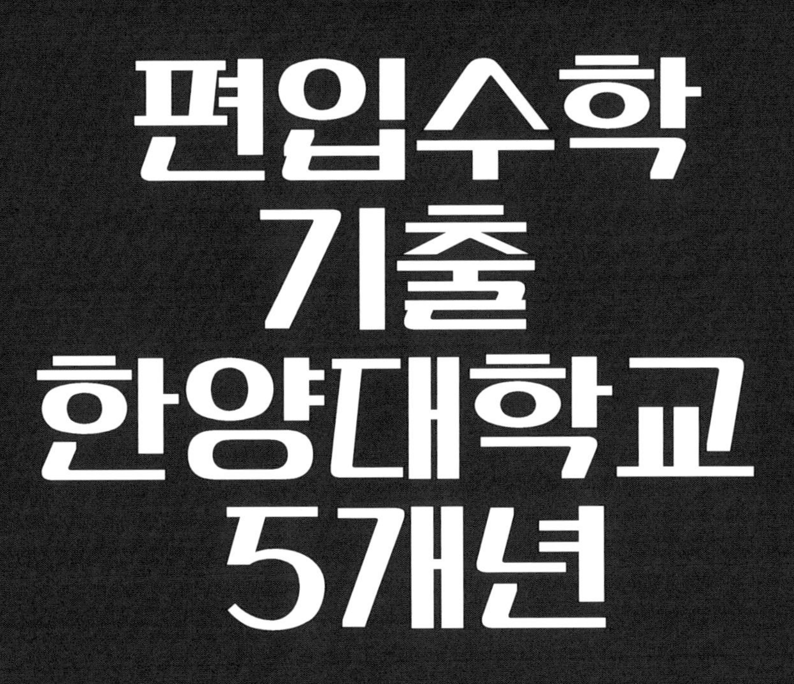

스킬편입수학 연구소

skill_math

1. 세 실수 a,b,c의 평균이 $\frac{13}{12}$일 때, $8a^4+27b^4+64c^4$의 최솟값은?

① $\frac{13}{12}$
② $\frac{52}{3}$
③ $\frac{351}{4}$
④ $\frac{832}{3}$
⑤ 1404

2. 곡선 $r(t)=\cosh t i+\sinh t j+tk$에서 $t=0$일 때의 곡률은?

① $\frac{1}{2}$
② $\frac{1}{\sqrt{2}}$
③ 1
④ $\sqrt{2}$
⑤ 2

3. 곡면 $z=2-x^2-y^2, z\geq 0$의 넓이는?

① $\frac{13\pi}{2}$
② $\frac{13\pi}{3}$
③ $\frac{13\pi}{6}$
④ $\frac{(17\sqrt{17}-1)\pi}{3}$
⑤ $\frac{(17\sqrt{17}-1)\pi}{6}$

4. 좌표공간에서 영역

$D=\left\{(x,y,z)|x^2+y^2+z^2\geq 9, x^2+(y-\frac{9}{2})^2+z^2\leq \frac{81}{4}\right\}$

의 부피는?

① 105π
② 108π
③ 111π
④ 114π
⑤ 117π

5. 평면 $x+3y+z=2$와 원기둥면 $x^2+y^2=4$가 만나는 곡선을 C라 할 때, 선적분
$\oint_C -\sqrt{1+x^2+y^2}\,dx+xdy-z^2dz$의 값은?

(단, C의 방향은 이 곡선을 xy평면으로 정사영 하였을 때, 시계반대 방향이 되도록 주어져있다.)

① π
② 2π
③ 3π
④ 4π
⑤ 5π

6. 적분 $\int_0^1\int_0^{z^2}\int_0^{\sqrt{y}}\sqrt{4y^{3/2}-3y^2}\,dxdydz$의 값은 ?

① $\frac{1}{18}$
② $\frac{1}{15}$
③ $\frac{1}{12}$
④ $\frac{1}{10}$
⑤ $\frac{1}{9}$

7. 다음 중 나머지와 다른 값을 갖는 것은?

① $4\sum_{n=0}^{\infty}\frac{(-1)^n}{2n+1}$

② $\int_{-\infty}^{\infty}\frac{1}{1+x^2}dx$

③ $\int_{-\infty}^{\infty}\int_{-\infty}^{\infty}\frac{1}{(1+x^2+y^2)^2}dxdy$

④ $\frac{1}{2}\oint_C -ydx+xdy$
(단, C는 시계반대방향으로 주어진 곡선 $x^2+y^2=1$)

⑤극좌표로 나타낸 곡선 $r=\frac{2\sqrt{3}}{3}(1+\cos 2\theta)$에 둘러싸인 영역의 넓이

8. $\lim_{n\to\infty}\frac{1}{n^2}\prod_{k=1}^{n}(n^2+k^2)^{\frac{1}{n}}$의 값은?

① $2e^{\frac{\pi}{2}-3}$
② $2e^{\frac{\pi}{2}-2}$
③ $2e^{\frac{\pi}{2}-1}$
④ $\frac{5}{2}e^{\frac{\pi}{2}+1}$
⑤ $\frac{5}{2}e^{\frac{\pi}{2}+2}$

9. 행렬 $A=\begin{pmatrix}2&3\\1&0\end{pmatrix}$에 대하여 $A^{2019}\begin{pmatrix}1\\1\end{pmatrix}=\begin{pmatrix}a\\b\end{pmatrix}$ 일 때, $a+b$의 값은?

① $3^{2019}-1$
② 3^{2019}
③ $3^{2019}+1$
④ $2\cdot 3^{2019}-1$
⑤ $2\cdot 3^{2019}$

10. 3×3 행렬 B의 고윳값은 1,2,3이고, 행렬 A는 B와 닮은 행렬일 때, $\det(A-4I)$의 값은?

① -6
② -3
③ 0
④ 6
⑤ 37

11. 공간벡터 u,v,w가 이루는 평행육면체의 부피가 3이고, $u\cdot v=v\cdot w=w\cdot u=0$일 때, 세 벡터 $u\times 2v$, $2v\times 3w$, $3w\times u$가 이루는 평행육면체의 부피는? (단, $a\cdot b$는 벡터 a와 b의 내적이고, $a\times b$는 a와 b의 외적이다.)

① 108
② 144
③ 216
④ 324
⑤ 648

12. 행렬 $\begin{pmatrix}1&3&0&3\\2&7&-1&5\\-1&0&2&-1\end{pmatrix}$의 영공간의 기저가 벡터 $v=(a,b,c,d)$이면 $\dfrac{b}{a}+\dfrac{d}{c}$의 값은?

① -3
② -2
③ -1
④ 0
⑤ 1

13. 행렬 A, B, C가 다음과 같이 주어져 있다.

$$A=\begin{pmatrix}5&2&5&2\\0&1&3&4\\0&0&1&0\\0&0&1&7\end{pmatrix},\ B=\begin{pmatrix}2&0&0&0\\4&3&0&0\\5&3&1&2\\1&2&2&2\end{pmatrix},\ C=AB$$

C의 열벡터들로부터 그람－슈미트과정을 사 용하여 얻은 벡터들로 구성된 직교행렬을 Q라 할 때, $Q^{-1}C$의 대각성분들의 곱의 절댓값은?

① 1
② 120
③ 240
④ 420
⑤ 840

14. 이차형식 $x^2+4xz+2y^2+z^2$을 직교 대각화하면, $a_1X^2+a_2Y^2+a_3Z^2$이다. 이때, $Z=\alpha x+\beta y+\gamma z$이면 $\alpha+\beta+\gamma$의 값은? (단, $a_1<a_2<a_3$)

① 0
② 1
③ $\sqrt{2}$
④ $\frac{3\sqrt{2}}{2}$
⑤ $2\sqrt{2}$

15. 미분방정식 $x''-5x'-14x=0$의 해 $x=x(t)$가 초기조건 $x(0)=5, x'(0)=-1$을 만족할 때, $x(t)$가 최소가 되는 t의 값은?

① $\frac{1}{3}\ln2-\frac{1}{9}\ln7$
② $\frac{1}{9}\ln2-\frac{1}{9}\ln7$
③ 0
④ $\frac{1}{5}\ln2-\frac{1}{5}\ln7$
⑤ $\frac{3}{5}\ln2-\frac{1}{5}\ln7$

16. 미분방정식 $x''+5x'+6x=e^{-2t}$의 해 $x=x(t)$가 초기조건 $x(0)=1, x'(0)=0$을 만족할 때, $x(1)$의 값은?

① 0
② $e^{-2}-2e^{-3}$
③ $2e^{-2}-3e^{-3}$
④ $3e^{-2}-2e^{-3}$
⑤ $3e^{-2}-e^{-3}$

17. 연립미분방정식

$$\begin{cases} x' = y \\ y' = z \\ z' = -\dfrac{11}{2}z - 6y + \dfrac{9}{2}x + 9t^2 - 24t - 22 \end{cases}$$

의 해

$x(t), y(t), z(t)$가 초기조건 $x(0)=5, y(0)=0,$ $z(0)=0$을 만족할 때, $x(1)-2y(1)$의 값은?

① $6e^{-3}+6$

② $12e^{-3}+6$

③ $6e^{-3}+12$

④ $6\sqrt{e}+12$

⑤ $12\sqrt{e}+6$

18. 미분 방정식

$x' = (1-t)x + (t-1)^3$의 해 $x = x(t)$가

초기조건 $x(0)=3$을 만족할 때, $x(2)$의 값은?

① −1

② 0

③ 1

④ 2

⑤ 3

19. 함수 $f(t)$의 라플라스 변환이

$L(f(t)) = \dfrac{1}{s^2+4}$이다. $G(s) = L(e^{\pi t}(f(t))^2)$일

때, $G(2\pi)$의 값은?

① $\dfrac{1}{8}\left(\dfrac{4}{\pi^2+16} - \dfrac{1}{\pi}\right)$

② $\dfrac{1}{8}\left(\dfrac{\pi}{\pi^2+16} - \dfrac{1}{\pi}\right)$

③ $\dfrac{1}{8}\left(\dfrac{1}{\pi} - \dfrac{4}{\pi^2+16}\right)$

④ $\dfrac{1}{8}\left(\dfrac{1}{\pi} - \dfrac{\pi}{\pi^2+16}\right)$

⑤ $\dfrac{1}{8}\left(\dfrac{1}{\pi} - \dfrac{1}{\pi^2+16}\right)$

20. 미분방정식

$x^2y'' + 5xy' + 4y = 0, x > 0$의 해 $y = y(x)$가

$y(1) = e^2, y'(1) = 0$을 만족할 때, $y(e)$의 값은?

① 0

② e

③ 3

④ e^2

⑤ e^4

※ 아래 주관식 문제 [21-25]의 정답 표기는 답안지의 「주관식 답란 표기방법」 을 참조하시오.

21. 멱급수 $\sum_{n=0}^{\infty} \frac{(n!)^3}{(3n)!}(x-30)^n$의 수렴반경이 r이고 수렴구간은 (a,b)일 때, $r+a+b$의 값을 구하시오.

22.
벡터 $v=(1,1,1,1,1)$과

$w=(-2,-1,0,2,3)$이 생성하는 R^5의 부분공간을

W라 할 때, 벡터 $u=(4,2,1,1,1)$의 W위로의

정사영을 $P_W(u)=(u_1,u_2,u_3,u_4,u_5)$라 하자.

이 때, $2(u_1^2+u_2^2+u_3^2+u_4^2+u_5^2)$

의 값을 구하시오.

23.
행렬 $A=\begin{pmatrix} 2 & -2 & 2 \\ 0 & 1 & 1 \\ -4 & 8 & 3 \end{pmatrix}$의 고유값 $\lambda_1, \lambda_2, \lambda_3$에

대응하는 고유벡터를 각각

$a=\begin{pmatrix} a_1 \\ 1 \\ a_3 \end{pmatrix}, b=\begin{pmatrix} b_1 \\ b_2 \\ 4 \end{pmatrix}, c=\begin{pmatrix} 2 \\ c_2 \\ c_3 \end{pmatrix}$이라 할 때,

$\lambda_1+\lambda_2+\lambda_3+a_1+b_2+c_3$의 값을 구하시오.

(단, $\lambda_1 < \lambda_2 < \lambda_3$)

24. 함수

$$F(s)=\frac{1}{s^2}-e^{-s}\left(\frac{1}{s^2}+\frac{2}{s}\right)+e^{-4s}\left(\frac{4}{s^3}+\frac{1}{s}\right)$$ 의

역 라플라스 변환을 $f(t)$라 할 때,

$f(10)$의 값을 구하시오.

25.

$$\int_{1+\sqrt{3}}^{\infty}\left(\frac{12}{x-1}-\frac{12(x+2)}{x^2+x+1}\right)dx=-\sqrt{a}\pi+b\ln(2+\sqrt{3})$$

일 때, ab의 값을 구하시오.(단, a,b는 자연수)

1. 급수 $\sum_{n=1}^{\infty} \frac{n^n \cdot n!}{\{1 \cdot 5 \cdot 9 \cdots (4n-3)\}^2} x^{2n-1}$ 이 수렴하도록 하는 자연수 x의 개수는?

① 1
② 2
③ 3
④ 4
⑤ 5

2. 곡선 $y = \cosh x$ 위의 점 $(a, \cosh a)$에서의 곡률이 $\frac{1}{4}$일 때, $|a|$의 값은?

① $\ln(1+\sqrt{3})$
② $\ln(2-\sqrt{3})$
③ $\ln(2+\sqrt{3})$
④ $\ln(3-\sqrt{3})$
⑤ $\ln(3+\sqrt{3})$

3. 원 $x^2+y^2=4$를 시계반대방향으로 한 바퀴 도는 곡선을 C라 할 때, $\oint_C (x-y^3)dx + x^3 dy$의 값은?

① 12π
② 15π
③ 18π
④ 21π
⑤ 24π

4. 두 점(1,0,0), (1,1,1)을 양 끝점으로 하는 선분을 z축을 중심으로 회전시켜 얻은 곡면을 S라 하자. 곡면 S와 두 평면 $z=0, z=1$로 둘러싸인 입체의 부피는?

① $\frac{\pi}{3}$
② $\frac{2}{3}\pi$
③ π
④ $\frac{4}{3}\pi$
⑤ $\frac{5}{3}\pi$

5. 함수 $f(x,y)$를

$$f(x,y)=\begin{cases}\dfrac{2x^2\sin y}{x^2+y^2}, & (x,y)\neq(0,0)\\ 0, & (x,y)=(0,0)\end{cases}$$

이라 하자. 점(0,0)에서 벡터(1,1)방향에 대한 $f(x,y)$**의 방향도함수의 값은?**

① $-\sqrt{2}$
② $-\dfrac{1}{\sqrt{2}}$
③ 0
④ $\dfrac{1}{\sqrt{2}}$
⑤ $\sqrt{2}$

6. 원 $x^2+(y-1)^2=1$**을** x**축을 따라 한 바퀴 굴릴 때, 원 위의 점 P(0,0)이 그리는 곡선을** C**라 하자. 곡선** C**의 길이를** L**, 곡선** C**와** x**축으로 둘러싸인 부분의 넓이를** A라 할 때, $\dfrac{A}{L}$**의 값은?**

① $\dfrac{\pi}{8}$
② $\dfrac{\pi}{4}$
③ $\dfrac{3\pi}{8}$
④ $\dfrac{\pi}{2}$
⑤ $\dfrac{5\pi}{8}$

7. <보기>에서 수렴하는 특이적분을 있는 대로 모두 고른 것은?

ㄱ. $\displaystyle\int_0^{\frac{\pi}{2}}\frac{\sqrt{x}}{\sin x}dx$

ㄴ. $\displaystyle\int_0^{\pi}\frac{x}{1-\cos x}dx$

ㄷ. $\displaystyle\int_{-\infty}^{\infty}\frac{x}{(x^2+2)\ln(x^2+2)}dx$

① ㄱ
② ㄴ
③ ㄱ, ㄴ
④ ㄱ, ㄷ
⑤ ㄴ, ㄷ

8. $\displaystyle\lim_{n\to\infty}\left\{\left(\sum_{k=1}^{n}\sqrt{1+\cos\frac{\pi k}{2n}}\right)\sqrt{1-\cos\frac{\pi}{2n}}\right\}$ **의 값은?**

① 1
② $\sqrt{2}$
③ 2
④ $2\sqrt{2}$
⑤ 4

9. 연립방정식
$$\begin{cases} x+2y+z=4 \\ 2x-y+z=9 \\ -x+y+2z=5 \end{cases}$$
의 해가 $x=a, y=b, z=c$일 때, $a^2+b^2+c^2$의 값은?

① 21
② 24
③ 27
④ 30
⑤ 33

10. 선형사상
$$T(x,y,z)=\begin{pmatrix} 1 & 2 & 2 \\ 0 & 3 & 6 \\ 1 & 1 & 0 \end{pmatrix}\begin{pmatrix} x \\ y \\ z \end{pmatrix}$$에 대하여
$$Im\,T=\left\{\begin{pmatrix} x \\ y \\ z \end{pmatrix} \middle| ax+by+3z=0\right\}$$일 때,

a^2+b^2의 값은?

(단, a,b는 상수이고 $Im\,T$는 T의 치역이다.)

① 5
② 8
③ 10
④ 13
⑤ 17

11. 차수가 2보다 작거나 같은 다항식들의 벡터공간 P_2에 대하여 P_2에서 P_2로의 선형사상 T를 $T(f)=f'+f''$이라 하자. P_2의 기저 $B=\{1,x,x^2\}$에 대한 T의 행렬표현을 A라 할 때, A의 모든 성분들의 합은?
(단, f', f''은 각각 f의 도함수와 이계도함수이다.)

① 1
② 2
③ 3
④ 4
⑤ 5

12. 행렬 $\begin{pmatrix} 1 & 0 & 1 & 1 \\ 0 & 1 & 0 & 0 \\ 0 & 0 & 1 & 0 \\ 0 & 0 & 0 & 2 \end{pmatrix}$의 최소다항식은?

① x^2-3x+2
② x^3-4x^2+5x-2
③ x^3-5x^2+8x-4
④ $x^4-5x^3+9x^2-7x+2$
⑤ $x^4-6x^3+13x^2-12x+4$

13. 두 벡터 $\begin{pmatrix}1\\1\\1\\1\end{pmatrix},\begin{pmatrix}1\\-1\\-1\\1\end{pmatrix}$**이 생성하는** R^4**의**

부분공간을 W**라 하고,** R^4**에서** W**로 가는**

정사영을 P라 하자.
R^4의 표준기저에 대한 P의 행렬표현을
M**이라 할 때,** M**의 모든 성분들의 합은?**

① 4
② 5
③ 6
④ 7
⑤ 8

15. 함수
$f(t)=1-e^{-t}+e^{-2t}$의 라플라스변환을 $G(s)$
라 할 때, $G(4)$의 값은?

① $\frac{3}{20}$
② $\frac{1}{6}$
③ $\frac{11}{60}$
④ $\frac{1}{5}$
⑤ $\frac{13}{60}$

14. 행렬 $\begin{pmatrix}1&2&3&4&5\\2&4&6&8&10\\3&6&9&12&15\\4&8&12&16&20\\5&10&15&20&25\end{pmatrix}$**의 서로 다른 고윳값**

의 개수를 a**라 하고 서로 다른 고윳값의 합을**
b**라 할 때,** $a+b$**의 값은?**

① 49
② 51
③ 53
④ 55
⑤ 57

16. 연립미분방정식
$\begin{pmatrix}x'(t)\\y'(t)\end{pmatrix}=\begin{pmatrix}0&-1\\1&0\end{pmatrix}\begin{pmatrix}x(t)\\y(t)\end{pmatrix}+\begin{pmatrix}3\\0\end{pmatrix}$의 해
$\begin{pmatrix}x(t)\\y(t)\end{pmatrix}$가 초기조건
$\begin{pmatrix}x(0)\\y(0)\end{pmatrix}=\begin{pmatrix}3\\-4\end{pmatrix}$**를 만족할 때,**
$-x(\pi)+3y(\pi)$**의 값은?**

① 11
② 22
③ 33
④ 44
⑤ 55

17.

미분방정식 $y''-y=e^x\cos x$ 의 해

$y=y(x)$가 조건 $y(0)=y'(0)=2020$을

만족할 때, $\lim_{x\to-\infty} e^x y(x)$ 의 값은?

① $-\frac{1}{3}$

② $-\frac{1}{5}$

③ 0

④ $\frac{1}{5}$

⑤ $\frac{1}{3}$

18. **탄소 동위원소 ^{14}C의 반감기는 약 5730년이다. 어떤 화석 안에 ^{14}C가 원래 있었던 양의 1%만 남아 있을 때, 이 화석의 나이는?**

(단, $\ln 2=0.693\cdots, \ln 100=4.605\cdots$)

① 약 35000년

② 약 38000년

③ 약 41000년

④ 약 44000년

⑤ 약 47000년

19.

미분방정식

$y\cosh(xy)dx+\{x\cosh(xy)+e^y\}dy=0$의 해

$y=y(x)$가 초기조건 $y(0)=\ln 2$를 만족할 때

, $y(1)$의 값은?

① $\ln\frac{1+\sqrt{7}}{5}$

② $\ln\frac{1+\sqrt{7}}{3}$

③ $\ln\frac{2+\sqrt{7}}{5}$

④ $\ln\frac{2+\sqrt{7}}{3}$

⑤ $\ln\frac{3+\sqrt{7}}{5}$

20. **미분방정식**

$(x^2+1)y''-xy'+y=0$의 해 $y=y(x)$가 **초기조건** $y(0)=1, y'(0)=0$**을 만족할 때,** $y(1)$**의 값은?**

① $\sqrt{2}-\ln(1+\sqrt{2})$

② $2\sqrt{2}-\ln(1+\sqrt{2})$

③ $3\sqrt{2}-\ln(1+\sqrt{2})$

④ $4\sqrt{2}-\ln(1+\sqrt{2})$

⑤ $5\sqrt{2}-\ln(1+\sqrt{2})$

※ 아래 주관식 문제 [21-25]의 정답 표기는 답안지의 「주관식 답란 표기방법」을 참조하시오.

21. $\lim_{x \to 0} \frac{e^{-\frac{x^2}{2}} - \cos x}{x^4} = \frac{q}{p}$ 일 때, $p+q$**의 값을 구하시오.**
(단, p와 q는 서로소인 자연수이다.)

22. 좌표공간에서 곡면
$z = 3\sqrt{y}$ 와 세 평면 $x+2y=2$, $x=0$, $z=0$**으로 둘러싸인 입체의 부피를 a라 할 때, $20a$의 값을 구하시오.**

23. 행렬 $\begin{pmatrix} 3 & -1 & 4 & -2 \\ 2 & 2 & 1 & 0 \\ 0 & 1 & 2 & -1 \\ 0 & 3 & 1 & 1 \end{pmatrix}$**의 행렬식을 구하시오.**

24. 이차곡선
$$5x^2 - 4xy + 8y^2 + 4\sqrt{5}x - 16\sqrt{5}y + 4 = 0$$
이 회전 및 평행이동에 의해 이차곡선 $\frac{x^2}{A} + \frac{y^2}{B} = 1$**이 될 때,**
$A \times B$의 값을 구하시오. (단, A와 B는 상수이다.)

25. 두 급수

$y_1(x) = 1 - \frac{x^3}{6} + \frac{x^5}{a} + \cdots,\ y_2(x) = x - \frac{x^4}{12} + \frac{x^6}{b} + \cdots$

이 미분방정식

$y'' + (\sin x)y = 0$의 해일 때, $a+b$의 값을 구하시오.

(단, a와 b는 상수이다.)

1. 문제 유형

① A형 ② B 형

2. 〈보기〉에서 수렴하는 급수만을 있는 대로 고른 것은? 〔3점〕

〈보기〉

ㄱ. $\sum_{n=1}^{\infty}\frac{\ln(2n^3)}{1+n^2}$

ㄴ. $\sum_{n=1}^{\infty}\frac{2^n\times n!}{n^n}$

ㄷ. $\sum_{n=1}^{\infty}\frac{\cos n\pi}{n}$

① ㄱ ② ㄷ ③ ㄱ, ㄴ
④ ㄴ,ㄷ ⑤ ㄱ, ㄴ, ㄷ

3. 곡면 $x+3y^2+z^4=5$위의 점 $(1,1,1)$에서의 접평면을 α라 하자. 점 $(-2,a,b)$가 α위에 있을 때, a^2+b^2의 최솟값은? 〔3점〕

① $\frac{5}{4}$ ② $\frac{7}{4}$ ③ $\frac{9}{4}$ ④ $\frac{11}{4}$ ⑤ $\frac{13}{4}$

4. 함수 $f(x)=\frac{\sin x}{2+e^x}$의 $x=0$에서 4차 테일러 다항식을 $p(x)$라 할 때, $p(1)$의 값은? 〔4점〕

① $\frac{4}{27}$ ② $\frac{14}{81}$ ③ $\frac{16}{81}$
④ $\frac{2}{9}$ ⑤ $\frac{20}{81}$

5. 곡선 $y=\frac{3x}{1+x^3}$과 세 직선 $y=0, x=1, x=5$로 둘러싸인 부분을 y축을 중심으로 회전하여 얻은 입체의 부피는? 〔4점〕

① $3\pi+\ln 21$
② $\pi+3\ln 21$
③ $3\pi ln21$
④ $2\pi+\ln 63$
⑤ $2\pi ln63$

6. 영역 $\{(r\cos\theta, r\sin\theta) | 1+2\cos\theta \le r \le 4\cos\theta\}$의 넓이는? 〔5점〕

① $\frac{8\pi-\sqrt{3}}{6}$
② $\frac{9\pi-2\sqrt{3}}{6}$
③ $\frac{10\pi-3\sqrt{3}}{6}$
④ $\frac{11\pi-4\sqrt{3}}{6}$
⑤ $\frac{12\pi-5\sqrt{3}}{6}$

7. $\int_0^2 \int_{2y}^4 \frac{1}{\sqrt{1+x^2}} dxdy$ 의 값은? 〔4점〕

① $\frac{\sqrt{5}-1}{4}$
② $\frac{\sqrt{5}-1}{3}$
③ $\frac{\sqrt{5}-1}{2}$
④ $\frac{\sqrt{17}-1}{3}$
⑤ $\frac{\sqrt{17}-1}{2}$

8. 두 평면 $z=2y, z=0$과 곡면 $y=2x-x^2$에 둘러싸인 부분을 S라 할 때, $\iiint_S xdV$의 값은? 〔5점〕

① $\frac{16}{15}$ ② $\frac{15}{14}$ ③ $\frac{14}{13}$
④ $\frac{13}{12}$ ⑤ $\frac{12}{11}$

9. 곡면 $\sigma : x^2+\frac{y^2}{4}+\frac{z^2}{9}=1$과 벡터장(vector field)
$F(x,y,z)=(x+y)i+(3z^2+y)j+(x+z)k$ 에 대하여 $\iint_\sigma F \cdot ndS$ 의 값은?
(단, n은 σ의 외향단위법선벡터장 (outward unit normal vector field)이다.) 〔4점〕

① 12π ② 18π ③ 24π ④ 30π ⑤ 36π

10. 선형사상
$T(x,y,z)=(x+2y+z, x+y+z, 2x+7y+az, 3x+5y+bz)$의 치역 ImT의 차원이 2이고 핵 $\ker T$의 차원이 c일 때, $a+b+c$의 값은? (단, a,b,c는 상수이다.) 〔3점〕

① 3 ② 4 ③ 5 ④ 6 ⑤ 7

11. 모든 3×3행렬들로 이루어진 벡터공간 $M_3(R)$에 대하여

$$\begin{cases} a_{1j}+a_{2j}+a_{3j}=0 \ (j=1,2,3) \\ a_{i1}+a_{i2}+a_{i3}=0 \ (i=1,2,3) \\ a_{11}+a_{22}+a_{33}=0 \\ a_{13}+a_{22}+a_{31}=0 \end{cases}$$

을 만족하는 모든 행렬 $(a_{ij})\in M_3(R)$의 집합을 U, $a_{ij}=-a_{ji}(1\le i,j\le 3)$을 만족하는 모든 행렬 $(a_{ij})\in M_3(R)$의 집합을 W라 하자. 부분공간 $U+W=\{u+w|u\in U, w\in W\}$의 차원은? 〔5점〕

① 3 ② 4 ③ 5 ④ 6 ⑤ 7

12. 선형사상
$T(a,b,c,d,e)=(a+b, b+c, c+d, d+e, 3e)$에 대하여 벡터 $v=(0,1,0,0,0)$을 포함하는 가장 작은 T-불변 부분 공간(T-invariant subspace)의 차원은? 〔4점〕

① 1 ② 2 ③ 3 ④ 4 ⑤ 5

13. 두 행렬 $A=\begin{pmatrix} 3&0&0&0 \\ 1&3&0&0 \\ 0&0&3&2 \\ 0&0&0&3 \end{pmatrix}, B=\begin{pmatrix} 3&0&0&0 \\ 5&3&0&0 \\ 0&0&3&0 \\ 0&0&0&3 \end{pmatrix}$의 특성다항식(characteristic polynomial)을 각각 $f_A(x), f_B(x)$, 최소다항식(minimal polynomial)을 각각 $m_A(x), m_B(x)$라 하자. 〈보기〉에서 옳은 것만을 있는대로 고른 것은? 〔4점〕

ㄱ. $f_A(x)=f_B(x)$
ㄴ. $m_A(x)=m_B(x)$
ㄷ. A와 B는 닮은 행렬 (similar matrix) 이다.
ㄹ. $f_A(x)=m_B(x)g(x)$인 실수 계수 다항식 $g(x)$가 존재한다.

① ㄱ ② ㄱ, ㄹ ③ ㄴ, ㄹ
④ ㄱ, ㄴ, ㄹ ⑤ ㄱ, ㄴ, ㄷ, ㄹ,

14. 행렬 $A=\begin{pmatrix} a & b & c \\ d & e & f \\ g & h & i \end{pmatrix}$에 대하여 $\det A = 8$이고 공간 R^3의 영벡터가 아닌 모든 벡터는 행렬 A의 고유벡터일 때, $a+e+i$의 값은? (단, $\det A$는 A의 행렬식이다.) 〔4점〕

① 6 ② 7 ③ 8 ④ 9 ⑤ 10

15. 〈보기〉에서 옳은 것만을 있는 대로 고른 것 은?〔4점〕

ㄱ. 4×4행렬 A가 가역행렬이고 $B=(\det A)A^{-1}$일때, $\det(A^3)=\det B$이다.

ㄴ. 5×5행렬 $A=(a_{ij})$가 $a_{ij}=-a_{ji}(1\le i,j\le 5)$를 만족할 때, $\det A=0$이다.

ㄷ. W_1, W_2, W_3이 벡터공간 V의 부분공간일 때, $(W_1+W_2)\cap W_3=(W_1\cap W_3)+(W_2\cap W_3)$이다.

①ㄱ ②ㄷ ③ㄱ, ㄴ
④ㄴ, ㄷ ⑤ㄱ, ㄴ, ㄷ

16. 미분방정식 $x'(t)+3x(t)=4$의 해 $x(t)$가 초기조건 $x(0)=5$를 만족할 때, $\lim_{t\to\infty} x(t)$의 값은? (3점)

① $\frac{3}{4}$ ② $\frac{4}{5}$ ③ $\frac{4}{3}$ ④ $\frac{3}{2}$ ⑤ $\frac{5}{3}$

17. 미분 방정식 $x'(t)+2x(t)=e^t\sqrt{x(t)}$의 해 $x(t)$가 초기조건 $x(0)=4$를 만족할 때, $x(1)$의 값은? 〔4점〕

① $\left(\frac{e}{4}+\frac{7}{4e}\right)^2$

② $\left(\frac{e}{4}-\frac{7}{4e}\right)^2$

③ $\left(\frac{7e}{4}+\frac{1}{4e}\right)^2$

④ $\left(\frac{e}{4}-\frac{9}{4e}\right)^2$

⑤ $\left(\frac{e}{4}+\frac{9}{4e}\right)^2$

18. 미분방정식 $xx''-(x')^2-2tx^2=0$의 해 $x(t)$가 조건 $x(0)=2,\ x'(0)=2$를 만족할 때, $x(3)$의 값은? [5점]

① $2e^{12}$ ② $2e^{14}$ ③ $2e^{16}$
④ $2e^{18}$ ⑤ $2e^{20}$

19. 어떤 수학자는 은하계 생명체의 개체 수 $x(t)$가 미분방정식

$$\begin{cases} \dfrac{d^2x}{dt^2}+5\dfrac{dx}{dt}+6x=0 \\ x(0)=5\times10^{21},\ x'(0)=-8\times10^{21} \end{cases}$$

을 따라 감소한다고 예측하였다. 이 수학자의 예측에 따른 $t=10$일 때 개체 수 $x(10)$의 값은? [3점]

① $10^{21}(8e^{-20}-e^{-30})$
② $10^{21}(7e^{-20}-2e^{-30})$
③ $10^{21}(6e^{-20}-3e^{-30})$
④ $10^{21}(5e^{-20}-4e^{-30})$
⑤ $10^{21}(4e^{-20}-5e^{-30})$

20. 함수 f의 라플라스 변환 $F(s)$가
$F(s)=\dfrac{e^{-4s}}{s^2+3}+\dfrac{s-1}{(s-2)^2+3}$일 때, $\ln f\left(\dfrac{\sqrt{3}\pi}{9}\right)$의 값은? [4점]

① $\dfrac{\sqrt{3}}{9}\pi$
② $\dfrac{2\sqrt{3}}{9}\pi$
③ $\dfrac{\sqrt{3}}{3}\pi$
④ $\dfrac{4\sqrt{3}}{9}\pi$
⑤ $\dfrac{5\sqrt{3}}{9}\pi$

21. 연립 미분방정식
$\begin{cases} x'(t)=x(t)+y(t)+2e^{-t} \\ y'(t)=4x(t)+y(t)+4e^{-t} \end{cases}$ 의 해 $\begin{pmatrix} x(t) \\ y(t) \end{pmatrix}$가 초기조건 $\begin{pmatrix} x(0) \\ y(0) \end{pmatrix}=\begin{pmatrix} 3 \\ 6 \end{pmatrix}$을 만족할 때, $2x(\ln2)+y(\ln2)$의 값은? [4점]

① 102 ② 105 ③ 108
④ 111 ⑤ 114

※아래 주관식 문제 〔22~26〕의 정답 표기는 답안지의 「주관식 답란 표기방법」을 참조하시오.

22. 곡면 $F(u,v)=(2u\cos v, 2u\sin v, u^2)$ $(\sqrt{3}\le u\le 2\sqrt{2}, 0\le v\le 3)$의 넓이를 구하시오. 〔4점〕

23. 실수 x,y,z가 $3x^2+y^2+z^2=20$을 만족할 때, xyz^3의 최댓값을 구하시오. 〔4점〕

24. 벡터 공간 V의 기저 $\{v_1, v_2, v_3, v_4\}$에 대한 선형사상 $T: V\to V$의 행렬표현이 $\begin{pmatrix} 2&0&0&0\\ 1&2&0&0\\ 0&1&2&0\\ 0&0&0&2 \end{pmatrix}$일 때, V의 기저 $\{v_1, T(v_1), T^2(v_1), v_4\}$에 대한 T의 행렬표현을 A라 하자. 행렬 A의 모든 성분들의 합을 구하시오. 〔4점〕

25. 행렬 $A=\begin{pmatrix} 1&1&1&1\\ 1&2&4&8\\ 1&-2&4&-8\\ 1&-1&1&-1 \end{pmatrix}$의 복소수 범위의 서로 다른 네 고윳값을 a,b,c,d라 할 때, 네 수의 곱 $abcd$의 값을 구하시오. 〔4점〕

26. 반지름의 비가 2:3인 구 모양의 두 개의 눈덩이로 큰 눈덩이 위에 작은 것을 올려놓아 눈사람을 만들었다. 두 눈덩이가 녹을 때 그 부피는 표면적에 정비례하는 비율로 감소하고, 비례상수는 두 눈덩이에 대해 동일하며, 녹는 동안 두 눈덩이는 모두 구 모양으로 유지된다고 하자. 눈사람의 처음 부피를 V_1, 눈사람의 키가 처음의 $\frac{1}{2}$이 되었을 때, 눈사람의 부피를 V_2라 하자. $\frac{V_2}{V_1}=\frac{q}{p}$일 때, $p+q$의 값을 구하시오. (단, p,q는 서로소인 자연수이다.)

〔5점〕

01. 문제 유형

① A형 ② B 형

02. 함수 $f(x)=\arctan\left(\arcsin\sqrt{x}\right)$ 에 대해 $f'\left(\frac{1}{4}\right)=\frac{a}{b+\pi^2}\frac{1}{\sqrt{3}}$ 일 때, $a+b$ 의 값은? (단, a, b는 정수이다.) 〔4〕

① 84 ② 96 ③ 108
④ 120 ⑤ 136

03. $x=2$ 에서 $x=\pi+2$ 까지의 곡선 $y=\sin(x-2)$ 와 x축으로 둘러싸인 영역을 y축 중심으로 회전하여 얻은 입체의 부피는? 〔4〕

① $2\pi(2\pi+1)$ ② $2\pi(2\pi+2)$
③ $2\pi(2\pi+3)$ ④ $2\pi(\pi+3)$
⑤ $2\pi(\pi+4)$

04. 정적분 $\int_{\frac{\pi}{3}}^{\frac{\pi}{2}}\frac{1}{\cos x-1}dx$ 의 값은? 〔4〕

① $1+\sqrt{3}$
② $-1+\sqrt{3}$
③ $-1-\sqrt{3}$
④ $1-\sqrt{3}$
⑤ $\frac{-1+\sqrt{3}}{2}$

05. 모든 실수에 대하여 수렴하는 멱급수는? 〔3〕

① $\sum_{n=1}^{\infty}\frac{(x-3)^n}{n}$
② $\sum_{n=0}^{\infty}\frac{(-1)^n x^{2n}}{2^{2n}(n!)^2}$
③ $\sum_{n=0}^{\infty}x^n$
④ $\sum_{n=0}^{\infty}(-1)^n\frac{x^{2n+1}}{2n+1}$
⑤ $\sum_{n=1}^{\infty}(-1)^{n-1}\frac{x^n}{n}$

06. $x=0$ 근방에서 함수 $f(x)=\dfrac{1}{\sqrt{1-x}}$의 테일러 급수를 $\displaystyle\sum_{n=0}^{\infty}\frac{b_n}{a_n}x^n$이라 할 때, $|a_3|+|b_3|$의 값은? (단, a_3과 b_3은 서로소인 정수이다.) 〔3〕

① 3 ② 7 ③ 11 ④ 21 ⑤ 65

07. 곡선 $r(t)=\langle 2\cos t, 2\sin t, t^2\rangle$ 의 점 $(2,0,0)$에서의 곡률은? 〔4〕

① 1 ② $\dfrac{1}{\sqrt{2}}$ ③ $\dfrac{1}{2\sqrt{2}}$

④ $\dfrac{1}{\sqrt{6}}$ ⑤ $\dfrac{4\sqrt{2}}{3}$

08. $yz+x\ln y=z^2$, $z>0$ 일 때, $(x,y)=(0,e)$ 에서 $\dfrac{\partial z}{\partial y}$의 값은? 〔4〕

① 1 ② 2 ③ e

④ $\dfrac{e}{2e-1}$ ⑤ $\dfrac{e^2}{3}$

09. 점$(2,1,1)$에서 곡면 $2x^2+3y^2-5z^2=6$의 법선벡터는? 〔3〕

① $\langle 4,2,5\rangle$

② $\langle 4,3,-5\rangle$

③ $\left\langle 2,1,\dfrac{3}{2}\right\rangle$

④ $\left\langle 2,\dfrac{3}{2},5\right\rangle$

⑤ $\langle 3,2,-4\rangle$

10. 행렬 $A=\begin{pmatrix} 4 & 0 & 1 \\ -2 & 1 & 0 \\ -2 & 0 & 1 \end{pmatrix}$ 의 고윳값 $\lambda_1, \lambda_2, \lambda_3$ 에 대응하는 고유벡터를 각각 $a=\begin{pmatrix} a_1 \\ 1 \\ a_3 \end{pmatrix}$, $b=\begin{pmatrix} b_1 \\ b_2 \\ 2 \end{pmatrix}$, $c=\begin{pmatrix} 3 \\ c_2 \\ c_3 \end{pmatrix}$ 이라할 때, $\lambda_1+\lambda_2+\lambda_3+a_1+b_2+c_3$ 의 값은? (단, $\lambda_1 < \lambda_2 < \lambda_3$) 〔4〕

① 3 ②4 ③ 5 ④ 6 ⑤ 7

11. 형식 $3x^2-4xy+3y^2+5z^2$ 을 직교대각화하면, $aX^2+bY^2+5Z^2$ 이다. 이때, $X=\alpha x+\beta y+\gamma z$ 이면 $a^2+b^2+\alpha^2+\beta^2+\gamma^2$ 의 값은? (단, $a<b\le 5$) 〔5〕

① 24 ② 25 ③ 26 ④ 27 ⑤ 28

12. 모든 2×2행렬들로 이루어진 벡터공간 $M_2(R)$와 행렬 $A=\begin{pmatrix} 1 & 3 \\ 2 & -1 \end{pmatrix}$에 대하여 선형사상 $T: M_2(R)\to M_2(R)$는 $T(B)=AB$로 정의된다. 벡터공간 $M_2(R)$의 표준기저 $\left\{\begin{pmatrix} 1 & 0 \\ 0 & 0 \end{pmatrix}, \begin{pmatrix} 0 & 1 \\ 0 & 0 \end{pmatrix}, \begin{pmatrix} 0 & 0 \\ 1 & 0 \end{pmatrix}, \begin{pmatrix} 0 & 0 \\ 0 & 1 \end{pmatrix}\right\}$ 에 대한 T의 행렬표현을 $P=(p_{ij})_{4\times4}$ 라 할 때, $p_{13}+p_{24}$ 의 값은? 〔4〕

① 5 ② 6 ③ 7 ④ 8 ⑤ 9

〔13~14〕 다음 제시문을 읽고 물음에 답하시오.

모든 2×2행렬들로 이루어진 벡터공간 $M_2(R)$에 다음과 같은 내적이 주어져 있다.
$(A,B)=a_{11}b_{11}+a_{12}b_{12}+a_{21}b_{21}+a_{22}b_{22}$
(단, $A=(a_{ij}), B=(b_{ij})$ 는 $M_2(R)$의 행렬이다.)
$T: M_2(R)\to M_2(R)$ 를 $\begin{pmatrix} 1 & 0 \\ 0 & 0 \end{pmatrix}$과 $\begin{pmatrix} 1 & 1 \\ 1 & 0 \end{pmatrix}$이 생성하는 부분공간 W로의 정사영(orthogonal projection)이라 하고, T의 표준 기저 $\left\{\begin{pmatrix} 1 & 0 \\ 0 & 0 \end{pmatrix}, \begin{pmatrix} 0 & 1 \\ 0 & 0 \end{pmatrix}, \begin{pmatrix} 0 & 0 \\ 1 & 0 \end{pmatrix}, \begin{pmatrix} 0 & 0 \\ 0 & 1 \end{pmatrix}\right\}$ 에 대한 행렬 표현을 $P=(p_{ij})_{4\times4}$ 라 하자.

13. 행렬 $C=\begin{pmatrix}4&2\\3&1\end{pmatrix}$의 W 위로의 정사영을 $T(C)=\begin{pmatrix}\alpha&\beta\\\gamma&\delta\end{pmatrix}$ 라 할 때, $\alpha+\beta+\gamma+\delta$ 의 값은? 〔4〕

① 5 ② 6 ③ 7 ④ 8 ⑤ 9

14. 제시문의 행렬 $P=(p_{ij})_{4\times4}$ 에 대하여 $p_{11}+p_{22}+p_{33}+p_{44}+\det(P)$ 의 값은? (단, $\det P$ 는 P의 행렬식이다.) 〔5〕

① 2 ② 3 ③ 4 ④ 5 ⑤ 6

15. 행렬 $A=\begin{pmatrix}\frac{\sqrt{3}}{2}&0&-\frac{1}{2}\\0&-1&0\\\frac{1}{2}&0&\frac{\sqrt{3}}{2}\end{pmatrix}$ 와 두 벡터 $x=(0,1,1)^T$, $y=\left(-\frac{1}{2},0,\frac{\sqrt{3}}{2}\right)^T\in R^3$ 에 대하여 내적 $(A^{2022}x)\cdot(A^{2021}y)$ 의 값은? 〔4〕

① 0 ② 1 ③ 1011
④ 2021 ⑤ 2022

16. 행렬 $A=\begin{pmatrix}0&-1&0&0\\1&-2&0&0\\0&0&3&0\\0&0&0&5\end{pmatrix}$ 와 벡터 $v=\begin{pmatrix}1\\0\\0\\0\end{pmatrix}$에 대하여
$(3A^7+7A^6+13A^3+5A^2-4A)v=(p,q,r,s)^T$ 일 때, $p+q+r+s$ 의 값은? 〔4〕

① 8 ② 10 ③ 13
④ 17 ⑤ 22

17. 방정식 $t^2x'(t)+2(1+t)x(t)=\frac{1}{t^2}e^{\frac{2}{t}}$ 의 해 $x(t)$가 조건 $x(1)=2e^2$ 을 만족할 때, $x(2)$의 값은? 〔4〕

① $\frac{3}{8}e$　② $\frac{1}{2}e$　③ $\frac{5}{8}e$
④ $\frac{3}{4}e$　⑤ $\frac{7}{8}e$

19. 미분방정식 $y'(t)=\frac{2t^2+y(t)^2}{ty(t)}$, $ty(t)\neq 0$ 의 해 $y(t)$가 조건 $y(1)=6$을 만족할 때, $y(e)$의 값은? 〔4〕

① $e\sqrt{6}$　② $e\sqrt{10}$　③ $2e\sqrt{6}$
④ $2e\sqrt{10}$　⑤ $3e\sqrt{6}$

18. 미분 방정식 $x'(t)=x(t)(3-4x(t))$ 의 해 $x(t)$가 초기조건 $x(0)=3$ 을 만족할 때, $x(3)$의 값은? 〔4〕

① $\dfrac{e^3}{\frac{4}{3}e^3-1}$
② $\dfrac{e^4}{\frac{4}{3}e^4-1}$
③ $\dfrac{e^7}{\frac{4}{3}e^7-1}$
④ $\dfrac{e^8}{\frac{4}{3}e^8-1}$
⑤ $\dfrac{e^9}{\frac{4}{3}e^9-1}$

20. 연립미분 방정식 $\begin{cases} x'(t)=y(t) \\ y'(t)=-x(t)-2y(t) \end{cases}$ 의 해 $\begin{pmatrix} x(t) \\ y(t) \end{pmatrix}$가 초기조건 $\begin{pmatrix} x(0) \\ y(0) \end{pmatrix}=\begin{pmatrix} 1 \\ 2 \end{pmatrix}$를 만족할 때, $x(2)+y(2)$의 값은? 〔4〕

① $-2e^{-2}$　② $-e^{-2}$　③ e^{-2}
④ $2e^{-2}$　⑤ $3e^{-2}$

21. 전원 정답 처리

※아래 주관식 문제 〔22-26〕의 정답 표기는 답안지의 「주관식 답란 표기방법」을 참조하시오.

22. 아래 그림에서 원 $(x-15)^2+y^2=5^2$ 의 호 C를 y축 중심으로 회전하여 얻은 곡면의 넓이가 $a\pi+b\pi^2$ 일 때, $a+b$ 의 값을 구하시오. (단, a, b는 정수이다.) 〔4〕

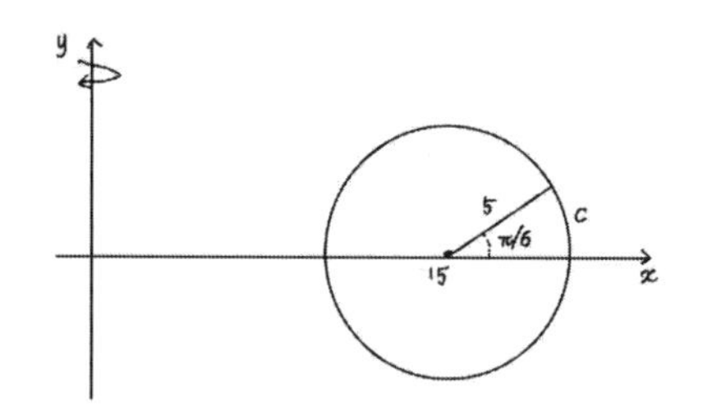

23. 벡터장 $F(x,y,z)=\langle \sin y,\ x\cos y+\cos z,\ -y\sin z\rangle$ 와 곡선 $C: r(t)=\langle \sin t, t, 2t\rangle$, $0\le t\le \frac{\pi}{2}$ 에 대하여 $\int_C F\cdot dr$ 의 값이 $a+\frac{\pi}{b}$일 때, $a+b+12$ 의 값을 구하시오. (단, a, b는 정수이다.) 〔4〕

24. 행렬 $\begin{pmatrix} 2 & -1 & 0 & 0 & 0 \\ -1 & 2 & -1 & 0 & 0 \\ 0 & -1 & 2 & -1 & 0 \\ 0 & 0 & -1 & 2 & -1 \\ 0 & 0 & 0 & -1 & 2 \end{pmatrix}$ 의 행렬식을 구하시오. 〔3〕

25. $f(x)=x^4+\int_0^x \sin(x-t)f(t)dt$ 인 함수 $f(x)$에 대하여 $f(1)$의 값을 $\frac{p}{q}$라 할 때, $p+q$ 의 값을 구하시오. (단, p, q는 서로소인 자연수이다.) 〔4〕

26. 어떤 곤충의 개체 수 $P(t)$가 미분 방정식

$$\frac{dP}{dt} = 1 + t^2 + P + t^2 P \quad , \; P(0) = 10$$

을 만족한다고 하자. $P(3)$의 값이 $\alpha e^{\beta} + \gamma$ 일 때, $\alpha + \beta + \gamma$ 의 값을 구하시오. (단, α, β, γ 는 상수이다.) 〔4〕

01. 문제 유형

① A형 ② B 형

02. 반지름이 $10m$인 반구 모양의 수조에 $3m^3/\sec$의 속도로 물을 채운다. 수위가 $5m$일 때 물이 차오르는 속도는 $vm/\sec$이다. $\frac{1}{v\pi}$의 값은? [4]

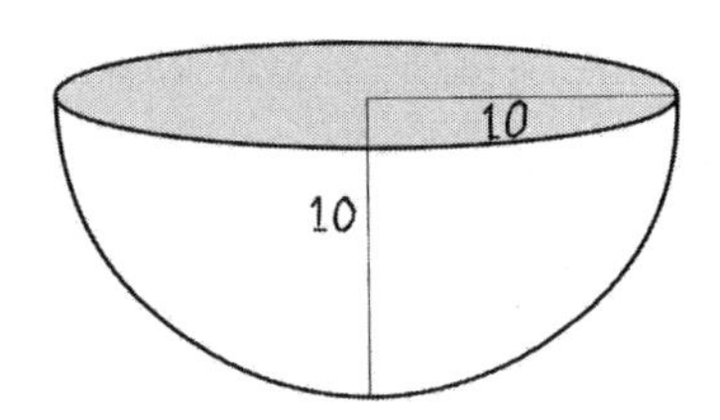

① 10
② 15
③ 25
④ 30
⑤ 35

03. $f(x)=\sum_{n=0}^{\infty}(-1)^n\frac{x^{2n+1}}{n!}$에 대해 $\int_0^{\sqrt{\ln 4}} f(x)dx$의 값은? [3]

① $\frac{3}{8}$
② $\frac{4}{9}$
③ $\frac{2}{3}$
④ $\frac{3}{4}$
⑤ $\frac{3}{2}$

04. 미분가능한 함수 f에 대해 $g(s,t)=f(s^3-t^3,\ t^3-s^3)$이다. $g_s(1,2)=3$일 때 $\frac{\partial g}{\partial t}(1,2)$의 값은? [3]

① -12
② -9
③ -6
④ -3
⑤ 0

05. $xz-$평면 위에 중심이 $(2,0,0)$이고 반지름이 1인 원을 z축 중심으로 회전하여 얻은 곡면을 S라 하자. S위의 점 $\left(\frac{5\sqrt{3}}{4},\ \frac{5}{4},\ \frac{\sqrt{3}}{2}\right)$에서의 단위법선벡터를 $< a,b,c >$라 할 때 $|2a+b-c|$의 값은? [4]

① $\frac{1}{8}$
② $\frac{1}{7}$
③ $\frac{1}{6}$
④ $\frac{1}{4}$
⑤ $\frac{1}{3}$

06. 점 $(1,0)$, $(2,0)$, $(0,1)$, $(0,2)$를 꼭짓점으로 가지는 평면 위의 사다리꼴 영역을 D라 할 때 $\iint_D e^{\frac{y-x}{y+x}}dA = \frac{q}{p}(e-e^{-1})$이다. 서로소인 두 자연수 p와 q에 대해 $p \times q$의 값은? [4]

① 6
② 10
③ 12
④ 18
⑤ 21

07. $\alpha(t) = \langle 2\sin t, 2\cos t, t \rangle, 0 \le t \le \frac{\pi}{2}$로 표현되는 매개변수 곡선 C에 대해 $\int_C 15x^3y^2 ds$의 값은? [4]

① $16\sqrt{5}$
② $32\sqrt{5}$
③ $64\sqrt{5}$
④ $84\sqrt{5}$
⑤ $128\sqrt{5}$

08. $r(t) = \langle e^t \sin t, e^t \cos t, t \rangle, 0 \le t \le \pi$로 표현되는 곡선 C와 벡터장 $F(x,y,z) = \langle y^3, 3xy^2 + 2ye^z, y^2e^z \rangle$에 대해 $(0,1,0)$에서 $(0, -e^{\pi}, \pi)$로의 선적분 $\int_C F \cdot dr$의 값은? [4]

① $e^{3\pi} - 1$
② $e^{4\pi} + 1$
③ $e^{5\pi} - 1$
④ $e^{6\pi} + 1$
⑤ $e^{7\pi} - 1$

09. 평면 $y + z = 2$와 원기둥 $x^2 + y^2 = 1$의 교차곡선 C와 벡터장 $F(x,y,z) = \langle y^3, x, z^4 \rangle$에 대한 선적분 $\int_C F \cdot dr$의 값은? (단, C는 xy평면 위에서 바라보았을 때 시계 반대 방향인 향을 가진다.) [5]

① $\frac{\pi}{8}$
② $\frac{\pi}{4}$
③ $\frac{\pi}{2}$
④ π
⑤ $\frac{3}{2}\pi$

10. 차수가 3이하인 다항식들의 벡터공간 P_3에 대하여, P_3에서 P_3으로 선형사상 T를

$T(a_3x^3+a_2x^2+a_1x+a_0)$
$=(a_0+a_1)x^3+2a_2x^2+(a_3-a_0)x+3a_1-a_2$

라 하자. P_3의 기저 $\{x^3+x^2,\ x^2,\ x+1,1\}$에 대한 T의 행렬표현을 A라 할 때, A의 두 번째 행의 모든 성분들의 합은? [3]

① 0
② 1
③ 2
④ 3
⑤ 4

11. 행렬 $\begin{pmatrix} 1 & 2 & 1 & 0 \\ 2 & -1 & 0 & 1 \\ 1 & -3 & -1 & 1 \\ 2 & 9 & 4 & -1 \end{pmatrix}$의 영공간(null space)의 기저가 $\{(a,b,5,0),(c,d,0,1)\}$이면 $\frac{b}{a}+\frac{d}{c}$의 값은? [3]

① $-\frac{3}{2}$
② $-\frac{2}{3}$
③ 0
④ $\frac{2}{3}$
⑤ $\frac{3}{2}$

12. 행렬 $A=\begin{pmatrix} 1 & 0 & 0 & 0 \\ 0 & 0 & -9 & 0 \\ 0 & 1 & -6 & 0 \\ 0 & 0 & 0 & -2 \end{pmatrix}$와 벡터 $v=\begin{pmatrix} 0 \\ 1 \\ 0 \\ 0 \end{pmatrix}$에 대하여 $A^3v=a_1Av+a_0v$일 때, a_0-a_1의 값은? [4]

① 21
② 24
③ 27
④ 30
⑤ 33

[13~14] 다음 제시문을 읽고 물음에 답하시오.

직교행렬 (orthogonal matrix) $U=\begin{pmatrix} a & 0 & b \\ c & 0 & d \\ 0 & 1 & 0 \end{pmatrix}$을 이용하여 행렬 $A=\begin{pmatrix} 2 & 1 & 0 \\ 1 & 2 & 0 \\ 0 & 0 & 2 \end{pmatrix}$를 대각화 할 수 있다. (단, $a, b > 0$) 행렬 A의 스펙트럼 분해(spectral decomposition)는
$A=\lambda_1 P_1+\lambda_2 P_2+\lambda_3 P_3$이고,
행렬 A^{2023}의 스펙트럼 분해는
$A^{2023}=\mu_1 Q_1+\mu_2 Q_2+\mu_3 Q_3$이다. (단, $\lambda_1<\lambda_2<\lambda_3$이고 $\mu_1<\mu_2<\mu_3$)

13. $a+b+c+d$의 값은? [4]

① $-\sqrt{2}$
② $-2+\sqrt{2}$
③ 0
④ $2-\sqrt{2}$
⑤ $\sqrt{2}$

14. $\det Q_1-\lambda_2+\mu_3$의 값은? (단, $\det Q_1$은 Q_1의 행렬식이다.) [4]

① $3^{2023}-5$
② $3^{2023}-4$
③ $3^{2023}-3$
④ $3^{2023}-2$
⑤ $3^{2023}-1$

15. 행렬 $\begin{pmatrix} 3 & 0 & 0 & 0 & 0 & 2 \\ 0 & 0 & 0 & 0 & 3 & 2 \\ 0 & 0 & 0 & 4 & 3 & 3 \\ 0 & 0 & 5 & 4 & 4 & 4 \\ 0 & 6 & 5 & 5 & 5 & 5 \\ 1 & 0 & 0 & 0 & 0 & 1 \end{pmatrix}$의 행렬식의 값은? [4]

① -720
② -360
③ -180
④ 180
⑤ 360

16. 미분방정식 $3x^2+4xy+(2y+2x^2)\dfrac{dy}{dx}=0$의 해 $y(x)$가 초기조건 $y(0)=1$을 만족할 때, $\{y(2)\}^2+8y(2)$의 값은? [4]

① -12
② -7
③ -2
④ 3
⑤ 8

17. 미분방정식 $\frac{d^2y}{dt^2}+2\frac{dy}{dt}+y=e^{-t}$의 해 $y(t)$가 조건 $y(0)=3$, $y'(0)=3$을 만족할 때, $y(1)$의 값은? [4]

① $5e^{-1}$
② $\frac{13}{2}e^{-1}$
③ $8e^{-1}$
④ $\frac{19}{2}e^{-1}$
⑤ $11e^{-1}$

18. 길이가 1이고, 일정한 단면을 갖는 균질한 철사의 양 끝의 온도가 0℃로 고정된다고 하자. 철사의 열확산율은 $\frac{1}{\pi^2}$이고, 초기 온도가 $2\sin(3\pi x)+5\sin(8\pi x)$, $(0 \le x \le 1)$이라고 한다. 열 방정식의 해가 $u(x,t)$일 때, $u\left(\frac{1}{2},1\right)$의 값은? [4]

① $-3e^{-9}$
② $-2e^{-9}$
③ $-e^{-8}$
④ $2e^{-3}$
⑤ $5e^{-3}$

19. 미분방정식 $x^2y''+xy'+y=\ln x$, $(x>0)$의 해 $y(x)$가 조건 $y(1)=e$, $y(e^{\pi/2})=\pi$를 만족할 때, $y(e^{\pi})$의 값은? [5]

① $\pi-2e$
② $\pi-e$
③ $\pi+2e$
④ $2\pi+e$
⑤ $2\pi+2e$

20. 미분방정식 $ty''-ty'+y=2$의 해 $y(t)$가 조건 $y(0)=2$, $y'(0)=-4$를 만족할 때, $y(-5)+y(5)$의 값은? [4]

① -2
② 0
③ 2
④ 4
⑤ 6

21. 미분방정식 $y' = 0.02y + 10^5 \sin t$의 해 $y(t)$가 초기조건 $y(0) = 10^6$을 만족할 때, $\lim_{t\to\infty} \frac{y(t)}{10^5 \times e^{0.02t}}$의 값은? [4]

① $\frac{27450}{2503}$

② $\frac{27485}{2503}$

③ $\frac{27485}{2501}$

④ $\frac{27500}{2501}$

⑤ $\frac{27510}{2501}$

[22~26]의 정답 표기는 답안지 주관식 답란 표기 방법을 참조하시오.

22. $\int_0^{\pi} e^x \sin^2 x \, dx = ae^{\pi} - b$일 때 $(a^2 + b^2) \times 100$의 값을 구하시오. (단, a, b는 유리수이다.)

23. 곡면 $z = 1 - x^2$과 세 평면 $z = 0,\ y = 0,\ z = 2 - y$에 의해 둘러싸인 유한한 입체의 경계면 S와 벡터장 $F(x, y, z) = \langle 2xy^2,\ y^3 + e^{xz},\ \cos(xy) \rangle$에 대해 $\iint_S F \cdot dS = \frac{q}{p}$라 하자. p, q가 서로소인 자연수 일 때 p의 값을 구하시오.

24. 4×4행렬

$$A,\ B = \begin{pmatrix} 2 & 0 & 0 & 0 \\ 0 & -1 & 0 & 0 \\ 0 & 0 & 1 & 0 \\ 0 & 0 & 0 & 3 \end{pmatrix},\ P = \begin{pmatrix} 1 & 0 & 0 & 0 \\ 1 & 1 & 0 & 0 \\ 0 & 1 & 1 & 0 \\ 0 & 0 & 1 & 1 \end{pmatrix}$$가

$B = P^{-1}AP$를 만족한다. $f(x)$를 행렬 $A + 2I$의 특성다항식 (characteristic polynomial)
이라 할 때, $f(2)$의 절댓값을 구하시오. [4]

25. 행렬 $A=\begin{pmatrix} a & b & c \\ d & e & f \\ g & h & i \end{pmatrix}$의 고윳값 1, 2, 3에 대응하는 고유벡터를 각각 $v_1=\begin{pmatrix} 1 \\ 0 \\ 0 \end{pmatrix}, v_2=\begin{pmatrix} 1 \\ 1 \\ 0 \end{pmatrix}, v_3=\begin{pmatrix} 1 \\ 1 \\ 1 \end{pmatrix}$이라 할 때, $c+f+i$의 값을 구하시오.

26. 연립미분방정식 $\begin{cases} x'(t)=7x(t)-y(t)+6z(t) \\ y'(t)=-10x(t)+4y(t)-12z(t) \\ z'(t)=-2x(t)+y(t)-z(t) \end{cases}$ 의 해 $\begin{pmatrix} x(t) \\ y(t) \\ z(t) \end{pmatrix}$가 초기조건 $\begin{pmatrix} x(0) \\ y(0) \\ z(0) \end{pmatrix}=\begin{pmatrix} -1 \\ 4 \\ 2 \end{pmatrix}$를 만족할 때, $x(1)+y(1)+z(1)$의 값은 $ae^l+be^m+ce^n$이다. $a+b+c+l+m+n$의 값을 구하시오. (단, a, b, c, l, m, n은 모두 정수이다.) [5]